Les langues pour tous

Collection dirigée par Jean-Pierre Berman,
Michel Marcheteau et Michel Savio

Série Initiation en 40 leçons :
Anglais - Allemand - Arabe - Espagnol - Italien - Néerlandais -
Portugais - Russe

Série Perfectionnement :
Pratiquer l'américain - l'espagnol - l'italien - l'allemand

Série Score (100 tests d'autoévaluation)
Score anglais - allemand - espagnol - italien - portugais

Série économique et commerciale :
Anglais - Allemand - Espagnol
La correspondance commerciale : Anglais - Espagnol
Le français commercial

Série Dictionnaires (Garnier) :
Anglais d'aujourd'hui - Allemand d'aujourd'hui - Anglais
commercial et économique - Allemand commercial et
économique
Dictionnaire de l'anglais de l'informatique

Série « Ouvrages de référence » :
Grammaire de l'anglais d'aujourd'hui (O.U.P.)
La correspondance générale en anglais (Garnier)

Série « Billingue » :
Nouvelle GB/US d'aujourd'hui (I et II)
Conan Doyle : Sherlock Holmes enquête (I et II)
Oscar Wilde : Il importe d'être constant
D.H. Lawrence : Nouvelles
Nouvelles allemandes d'aujourd'hui
Nouvelles portugaises d'aujourd'hui
Nouvelles russes classiques
Nouvelles hispano-américaines (I et II)
L'Amérique d'aujourd'hui à travers sa presse
Alfred Hitchcock : Nouvelles
Nouvelles américaines classiques
Nouvelles espagnoles contemporaines
Somerset Maugham : Nouvelles
Hugo Claus : Le Chagrin des Belges (extraits)
Rudyard Kipling : Le Livre de la Jungle (extraits)
Les grands maîtres de l'insolite
Katherine Mansfield : L'Aloès
Récits contemporains allemands
Patricia Highsmith : Nouvelles (I)
Henry James : Le Tour d'écrou

SHERLOCK HOLMES enquête
Sherlock Holmes investigates

CONAN DOYLE

The Boscombe Valley Mystery
The Five Orange Pips
The Veiled Lodger

Enregistrements sur cassettes

Traduction et notes de Bernard DHUICQ
Maître-assistant à l'Université de Paris III

PRESSES POCKET

Sommaire

© Presses Pocket 1984 pour la traduction, l'introduction et les notes.

ISBN : 2-266-01477-3

Comment utiliser la série bilingue ?

La série bilingue anglais/français permet aux lecteurs :

• d'avoir accès aux versions originales de nouvelles célèbres en anglais, et d'en apprécier, dans les détails, la forme et le fond ;
• d'améliorer leur connaissance de l'anglais, en particulier dans le domaine du vocabulaire dont l'acquisition est facilitée par l'intérêt même du récit, et le fait que mots et expressions apparaissent en situation dans un contexte, ce qui aide à bien cerner leur sens.

Cette série constitue donc une véritable méthode d'auto-enseignement, dont le contenu est le suivant :

• page de gauche, le texte anglais ;
• page de droite, la traduction française ;
• bas des pages de gauche et de droite, une série de notes explicatives (vocabulaire, grammaire, prononciation, etc.).

Les notes de bas de page et les listes récapitulatives à la fin de chaque nouvelle aident le lecteur à distinguer les mots et expressions idiomatiques d'un usage courant aujourd'hui, et qu'il lui faut mémoriser, de ce qui peut être trop daté ou trop exclusivement lié aux événements et à l'art de l'auteur.

Il est conseillé au lecteur de lire d'abord l'anglais, de se reporter aux notes et de ne passer qu'ensuite à la traduction ; sauf bien entendu s'il éprouve de trop grandes difficultés à suivre le récit dans ses détails, auquel cas il lui faut se concentrer davantage sur la traduction, pour revenir finalement au texte anglais, en s'assurant bien qu'il en a maintenant maîtrisé le sens.

Dans les premières pages du présent recueil, la traduction suit volontairement de près le texte anglais afin, par son parallélisme, de bien en éclairer la structure. Cela peut entraîner certaines lourdeurs, et des traductions plus élégantes sont alors suggérées en note. Progressivement, la traduction deviendra de moins en moins littérale (le « mot à mot » étant alors éventuellement donné en note).

●● Un enregistrement sur cassette (une cassette de 60 mn) d'extraits de longueur et de difficultés croissantes complète cet ouvrage. Chaque extrait est suivi de questions et de réponses qui permettent de contrôler et de développer la compréhension auditive.

N.B. : dans les notes, la traduction littérale d'une phrase ou d'une expression est présentée entre guillemets. Par ailleurs, △ indique qu'il faut faire *attention à* et ▲ précède un *faux ami*.

La vie et les œuvres de Conan Doyle

Arthur Conan Doyle naît le 22 mai 1859 à Edimbourg dans une famille catholique irlandaise. Son enfance se passe parmi dix frères et sœurs dont sept seulement survivront jusqu'à l'âge adulte. Le père, dont les ancêtres sont des nobles français venus en Irlande au XIVe siècle, est petit fonctionnaire dans la capitale écossaise ; son traitement suffit à peine à nourrir sa progéniture. Epileptique, il finira par sombrer dans l'alcoolisme et mourir dans une institution en 1893.

Arthur Conan Doyle reçoit son éducation chez les jésuites qui, en l'acceptant gratuitement, espèrent le voir entrer dans leur ordre. Il passera, dans un de leurs établissements, une année en Autriche, d'où il revient en 1876 pour étudier la médecine à l'université d'Edimbourg. Durant ses années de faculté il effectuera des remplacements en divers endroits. On le retrouve en 1880 médecin à bord d'un baleinier, sur lequel il navigue pendant sept mois dans l'Antarctique, et où il révélera sa vigueur et ses qualités physiques ; le capitaine lui offre même de devenir harponneur.

Après avoir obtenu son diplôme, il s'embarque à nouveau comme médecin sur un navire marchand qui l'emmène le long des côtes orientales africaines. Revenu en Angleterre, il s'associe à un collègue et s'installe à Plymouth, d'où il part après une querelle avec son associé pour monter son propre cabinet à Southsea.

C'est là que commence sa carrière littéraire, et qu'il rencontre sa première femme, qu'il épouse en 1885. Celle-ci mourra de tuberculose en 1906 après deux courts voyages, l'un à Berlin, l'autre à Vienne, que le couple entreprend pour parfaire les connaissances médicales d'Arthur Conan Doyle.

En 1891, après son voyage à Vienne, Arthur Conan Doyle installe son cabinet à Londres mais décide d'abandonner la médecine pour se consacrer à la littérature. L'année suivante les Doyle, en compagnie

7

de Jerome K. Jerome, l'auteur de *Trois hommes dans un bateau**, visitent la Norvège et découvrent le ski, qu'Arthur Conan Doyle rendra populaire en Suisse où il emmène sa femme pour la soigner. En 1894, il donne, aux États-Unis, une série de conférences qui connaissent un grand succès. Suit un voyage en Égypte où Doyle est correspondant de presse. Il rencontre ensuite Jean Leckie, qui deviendra sa seconde femme en 1907.

Il part pour l'Afrique du Sud comme médecin militaire pendant la seconde guerre des Boers. Anobli en 1902, il devient Sir Arthur Conan Doyle. C'est à cette époque qu'il se présente aux élections générales en partisan du maintien de l'Irlande au sein du Royaume-Uni et candidat « unioniste », en fait conservateur. Il sera battu deux fois.

En 1906 il prend la défense de George Edalji, accusé d'avoir menacé les habitants d'une petite localité du centre de l'Angleterre dans des lettres anonymes et d'avoir éventré des animaux. Sir Arthur, convaincu de l'innocence de l'inculpé, d'origine parsi, ce qui ajoute une note de racisme à l'affaire, démontre par des méthodes déductives l'absence de preuves et obtient la libération de George Edalji.

Il agira de même façon pour obtenir la grâce de Roger Casement, diplomate traître à l'Angleterre et partisan des nationalistes irlandais ; Casement, après avoir été d'intelligence avec l'Allemagne pendant la Première Guerre mondiale, sera exécuté. Puis Oscar Slater, juif allemand, accusé de meurtre en Écosse et arrêté aux États-Unis, sera innocenté et libéré grâce aux efforts de Sir Arthur.

En 1904, il prend part à un match de cricket où il se révèle joueur de haut niveau ; en 1911 il participe brillamment à une course automobile anglo-allemande. Il a aussi suivi des cours de musculation avec un certain Eugene Sandow, dont le nom reste attaché aux élastiques utilisés dans certains exercices.

---

* Paru aux éditions Presses Pocket, n° 219.

Pendant la Grande Guerre il visite le front. Un de ses fils sera tué en France. La fin de sa vie est consacrée à l'écriture et au spiritisme. Il visite l'Australie pour gagner à sa croyance les publics qu'il rencontre ; c'est ensuite le tour de l'Amérique et du Canada. En 1925, il préside à Paris le Congrès International de Spiritisme.

En 1929, gravement affaibli par une crise cardiaque, il insiste pour prononcer un discours le jour de l'Armistice et meurt le 7 juillet 1930.

L'œuvre sur laquelle Conan Doyle fondait ses ambitions n'est pas celle qui lui apporte la célébrité. Il publie en effet des romans historiques, *Micah Clarke* (1887), dont le sujet est tiré de la révolte du duc de Monmouth, fils naturel de Charles II, en 1685, *The Refugees* (1890), qui relate l'histoire des huguenots chassés de France après la révocation de l'Édit de Nantes, *The White Company* (1891), qui fait revivre le Moyen Âge anglais, français et espagnol, *Uncle Bernac* (1897), dont l'action se passe à l'époque napoléonienne ; plus tard suivront une histoire de la Grande Guerre en six volumes et une histoire du spiritisme, précédées de récits de « science-fiction ».

En 1887 paraît *Une étude en rouge,* dans laquelle Conan Doyle crée le personnage de Sherlock Holmes qui lui apportera gloire et fortune et le fera connaître dans le monde entier. Le détective et son compagnon, le docteur Watson, sont devenus des personnages qui dépassent la fiction et finissent par prendre la place de l'auteur. *Le Signe des quatre* est le deuxième roman où le détective est en scène, puis, entre avril et août 1891, Conan Doyle écrit six nouvelles qui seront publiées par le *Strand Magazine ;* ce même magazine demande à Conan Doyle de lui fournir d'autres nouvelles en raison du succès rencontré par les premières.

Doyle est d'ailleurs obligé, sous la pression du public et des éditeurs, de ressusciter Holmes qu'il a fait mourir. En plus des deux romans cités, il faut mention-

ner *le Chien des Baskerville** où Holmes réapparaît
après sa « mort » mais où Doyle indique qu'il s'agit
d'événements survenus antérieurement. Il revit défini-
tivement dans les séries de nouvelles suivantes ; celles
que présente ce livre sont publiées en 1892 *(le Mystère
de Val Boscombe, les Cinq Pépins d'orange)* et en
1927 *(la Pensionnaire voilée)* ; l'écart entre les dates
de publication explique les différences de style et de
présentation de personnages.

Il reste à rappeler les *Associations Sherlock Holmes*
qui se sont créées à travers le monde, la plus célèbre
étant la British Sherlock Holmes Society, fondée en
1934. Lors de l'exposition du Festival of Britain en
1951, le quartier de Marylebone à Londres décide de
reconstituer le salon du détective. Nombreuses sont
les lettres adressées à Baker Street par les lecteurs
qui croyaient en l'existence du personnage. La liste
des films, des pièces de théâtre et de télévision dans
lesquels Sherlock Holmes apparaît serait trop longue.
Enfin l'aspect physique, les costumes, le couvre-chef
et la pipe du détective ont si souvent été imaginés et
reproduits que Sherlock Holmes est plus vivant dans
l'esprit des lecteurs que son créateur. Ce dernier est
pourtant, par les méthodes d'investigation qu'il prête
à son héros, un des pères de la criminologie moderne.

---

* Paru aux éditions Presses Pocket (n° 1947), ainsi
que *la Vallée de la peur* (n° 1948) et *les Aventures
de Sherlock Holmes* (n° 1949).

THE BOSCOMBE VALLEY MYSTERY

LE MYSTÈRE DU VAL BOSCOMBE

We were seated at breakfast [1] one morning, my wife and I [2], when the maid brought in [3] a telegram. It was from [4] Sherlock Holmes [5], and ran [6] in this way : "Have you a couple of days [7] to spare [8] ? Have just been wired for from the West of England in connection with Boscombe Valley tragedy. Shall be glad if you will come with me. Air and scenery perfect. Leave Paddington by the 11.15".

"What do you say, dear ?" said my wife, looking across at me. "Will you go ?"

"I really don't know what to say. I have a fairly [9] long list at present".

"Oh, Anstruther [10] would do your work for you. You have been looking [11] a little pale lately. I think that the change would do you good, and you are always so interested in [12] Mr Sherlock Holmes'cases".

"I should be ungrateful if I were not [13], seeing what I gained [14] through one of them," I answered. "But if I am to go I must [15] pack at once, for I have only half an hour."

My experience [16] of camp life in Afghanistan had at least had the effect of making me a prompt and ready traveller [17].

---

1 . **at breakfast**, « au petit déjeuner » ; notez l'absence d'article devant les noms de repas, **dinner is ready** : *le dîner est prêt.*

2 . **my wife and I**, emploi de la forme **I**, il s'agit du sujet de **were seated** (ici le Docteur Watson, compagnon de Sherlock Holmes et narrateur de ses aventures).

3 . **brought in** ; la postposition **in** indique l'entrée dans un lieu.

4 . **from**, de (origine), rendu par le verbe *envoyer.*

5 . **Holmes**, prononcez [houms].

6 . **to run**, souvent utilisé pour annoncer la teneur d'un document : *dire, se lire, être libellé, conçu* ; **the message runs in these words**, *le message est ainsi conçu.*

7 . **have you a couple of days**... ; on aurait aujourd'hui **have you got** (G.B.), **do you have** (U.S.). Notez la traduction de **a couple of**..., *quelques.*

8 . **to spare**, sens général, *épargner, ménager, se passer de* ; employé comme adjectif : **spare time**, *temps disponible, loisirs*, **spare parts (spares)**, *pièces de rechange*, **spare room**, *chambre d'ami* ; attention **to save**, *épargner* (temps, effort, argent) d'où **savings** : *économies, épargne.*

Un matin, nous étions assis ma femme et moi pour le petit déjeuner lorsque la bonne nous apporta un télégramme. Il était envoyé par Sherlock Holmes et disait ceci : « Avez-vous quelques jours de libres ? Viens de recevoir câble de l'ouest de l'Angleterre en rapport avec tragédie Val Boscombe. Serais heureux si veniez avec moi. Air et paysage parfaits. Prendre train 11 h 15 à Paddington ».

— Qu'en dites-vous, chéri ? me demanda ma femme en me regardant par-dessus la table, allez-vous y aller ?

— Je ne sais vraiment que dire. Ma liste de rendez-vous est plutôt longue.

— Oh ! Anstruther vous remplacerait bien. Vous êtes un peu pâle depuis quelque temps. Je pense qu'un changement vous ferait du bien, de plus vous êtes toujours tellement intéressé par les affaires de Sherlock Holmes.

— Je serais un ingrat si je ne m'y intéressais pas, vu ce que j'y ai gagné au cours de l'une d'elles ! répondis-je. Mais si je dois partir, il me faut faire ma valise sur-le-champ, car il ne me reste qu'une demi-heure.

Mon expérience de la vie de camp en Afghanistan avait eu au moins pour effet de faire de moi un voyageur prêt à partir dans les plus brefs délais.

---

9. **fairly**, 1) *impartialement, loyalement,* 2) *moyennement, assez, plutôt.*

10. **Anstruther**, médecin, ami du Docteur Watson.

11. **you have been looking**, notez l'emploi du *present perfect* avec **lately** (action commencée dans le passé et continuant dans le présent).

12. **interested in**, l'emploi de la préposition **in**.

13. **if I were not**, style soutenu ; langue parlée : if I was not.

14. **what I gained**, allusion à la rencontre que fit Watson avec sa future épouse, Mary Morstan, à l'époque du *Signe des quatre (The Sign of Four*, 1889).

15. **I am to**..., *je dois* (sens futur) ; **I must**..., *je dois* (obligation).

16. **experience** ; distinguez **experience,** *expérience acquise* de **experiment,** *expérience (scientifique, technique)* ; de même **to experience,** *faire l'expérience de, connaître,* **to experiment,** *expérimenter.*

17. « avait eu l'effet de me rendre un voyageur prompt et rapide ».

My wants were few and simple [1], so that in less than the time stated I was in a cab with my valise [2], rattling [3] away to Paddington Station.

Sherlock Holmes was pacing up and down [4] the platform, his tall, gaunt figure [5] made even gaunter and taller [6] by his long grey travelling-cloak and close-fitting cloth [7] cap.

"It is really very good of you to come, Watson," said he. "It makes a considerable difference to me, having someone with me on whom I can thoroughly rely [8]. Local [9] aid is always either worthless or else biased [10]. If you will keep the two corner seats I shall get the tickets".

We had the carriage to ourselves save for [11] an immense litter [12] of papers which Holmes had brought with him. Among these he rummaged [13] and read, with intervals of note-taking [14] and of meditation, until we were past [15] Reading. Then he suddenly rolled them all into [16] a gigantic ball, and tossed them up on to the rack.

"Have you heard anything of the case [17] ?" he asked.

"Not a word. I have not seen a paper for some days" [18].

"The London press has not had very full accounts. I have just been looking through [19] all the recent papers

---

1 . « mes besoins étaient peu nombreux et simples. »

2 . **valise**, en anglais moderne, **suitcase, bag**.

3 . **to rattle** indique bruit métallique et répétitif, **a rattle**, *une crécelle*, **a rattlesnake**, *un serpent à sonnette*.

4 . **to pace up and down**, *faire les cent pas, aller et venir* ; **to pace**, *faire des pas, marcher à pas réguliers*.

5 . **gaunt**, *maigre, décharné* [gɔːnt] ; **figure** : *silhouette* ; *figure, visage*, **face**.

6 . « encore plus maigre et plus grande ».

7 . **cloth**, 1) *drap, étoffe, toile* 2) **(tea) cloth**, *torchon* 3) **tablecloth**, *nappe* [klɔθ] différent de [kləuθz] **clothes**, *vêtements*.

8 . **to rely on (upon)**, *compter sur* ; notez la place de la préposition devant le pronom relatif.

9 . **local**, *du lieu, de l'endroit* ; **the local** : faux ami, (G.B.) *le pub de l'endroit où l'on se rend habituellement*, (U.S.) *la section syndicale*, mais *un local*, **premises**, *dans les locaux*, **on the premises**.

Je n'avais besoin d'emporter que peu de choses, aussi, en moins de temps qu'il n'en faut pour le dire, j'étais avec ma valise dans un cab qui m'emmenait bruyamment vers la gare de Paddington.

Sherlock Holmes faisait les cent pas sur le quai, sa maigre et haute silhouette encore plus marquée par sa longue redingote grise de voyage et sa casquette de toile ajustée.

— C'est vraiment aimable à vous d'être venu, Watson, me dit-il ! Pour moi, cela change tout d'avoir la compagnie de quelqu'un sur qui je peux entièrement compter. L'aide qui vous est donnée sur place est toujours sans valeur ou bien partiale. Si vous voulez bien garder les deux coins, je vais prendre les billets.

Nous avions le compartiment pour nous seuls, à l'exception du paquet de journaux que Holmes avait emmené. Il fouillait parmi ceux-ci et lisait, en s'arrêtant pour prendre des notes et pour méditer jusqu'à ce que nous ayons dépassé Reading. Puis tout à coup il en fit une gigantesque boule qu'il lança dans le filet.

— Avez-vous entendu quelque chose sur cette affaire ?

— Pas un mot. Cela fait plusieurs jours que je n'ai pas lu de journal.

— La presse londonienne n'a pas donné de comptes rendus complets. Je viens de parcourir tous les journaux récents

---

10. **bias** [baiəs], *préjugé* ; forme adjectivale en **-ed.**
11. **save for**, *à l'exception de*, **except for.**
12. **litter,** *litière* (animal), *détritus, amas, tas* (en désordre) ; **litter left is not right,** *ne laissez pas traîner les détritus.*
13. **to rummage,** *fouiller*, **to ferret.**
14. notez la formation du substantif à partir de la structure verbe-complément d'objet : **to take notes,** *prendre des notes.*
15. **past,** *au-delà, devant* (implique mouvement) ; **we went past your house,** *nous sommes passés devant votre maison.*
16. **into** indique passage d'un lieu, d'un état à un autre.
17. notez l'emploi de **any** dans une question dont on ignore la réponse.
18. **I have not seen**... : emploi du *present perfect* avec **for** pour une action passée qui dure encore.
19. **to look through** : « *regarder à travers, parcourir* » ; **to skim over an article,** *parcourir, lire rapidement un article* ; **to browse through a book,** *feuilleter un livre.*

in order to master [1] the particulars [2]. It seems, from what I gather [3], to be one of those simple cases which are so extremely difficult".

"That sounds a little paradoxical" [4].

"But it is profoundly true. Singularity is almost invariably a clue [5].

The more [6] featureless [7] and commonplace a crime is, the more difficult it is to bring it home [8]. In this case, however, they [9] have established a very serious case against the son of the murdered man".

"It is murder, then ?"

"Well, it is conjectured [9] to be so [10]. I shall take nothing for granted [11] until [12] I have the opportunity [13] of looking personally into it. I will [14] explain the state of things to you, as far as I have been able to understand it, in a very few words.

Boscombe Valley is a country district [15] not very far from Ross, in Herefordshire. The largest landed proprietor in that part is a [16] Mr John Turner, who made his money in Australia, and returned some years ago to the old country [17]. One of the farms which he held, that of Hatherley, was let [18] to Mr Charles McCarthy, who was also an ex-Australian.

---

1 . **to master,** *maîtriser.*

2 . **particulars** (toujours au pluriel), *détails, renseignements.*

3 . **to gather,** *assembler, rassembler* (éléments, faits), *comprendre.*

4 . remarquez que l'adjectif anglais est plus long d'une syllabe que le français. cf. **theoretical** : *théorique.*

5 . **clue** [klu:], *indice, idée ;* I haven't a **clue,** *je n'ai pas la moindre idée.*

6 . construction rendant la tournure *plus..., plus...,* ici devant adj. long emploi de **the more..., the more...** △adj. court : **the warmer it is, the happier I am,** *plus il fait chaud, plus je suis heureux.*

7 . formation de l'adj. : subst. **feature,** *trait, caractéristique,* et suffixe **-less,** indiquant absence, manque ; **shameless,** *effronté, éhonté, impudent.*

8 . expression **to bring something home to somebody,** *faire comprendre quelque chose à quelqu'un :* the difficulty was **brought home to him,** *il comprit la difficulté.*

9 . impersonnel « on » rendant **they** qui renvoie à la police et à la justice de même que le passif **it is conjectured.**

16

pour bien connaître les détails. D'après ce que je comprends, il semble s'agir d'une de ces affaires simples qui sont en fait extrêmement difficiles.

— Ce que vous dites semble paradoxal.

— Mais c'est profondément vrai. La singularité est presque toujours un indice.

Plus le crime est banal et sans relief, plus il est difficile à comprendre. En cette affaire, toutefois, on a établi des accusations très graves contre le fils de l'homme qui a été assassiné.

— Il s'agit donc d'un meurtre ?

— Eh bien, on pense que c'en est un. Je ne tiendrai rien pour acquis avant d'avoir l'occasion d'examiner les faits personnellement. Je vais vous expliquer cette affaire en quelques mots, dans la mesure où j'ai pu la comprendre.

Val Boscombe est un canton proche de Ross dans le Herefordshire. Le plus gros propriétaire terrien de l'endroit est un certain M. John Turner qui est revenu au pays il y a quelques années après avoir fait fortune en Australie. L'une des fermes qu'il possédait, celle de Hatherley, était louée à M. Charles McCarthy qui, lui aussi, revenait d'Australie.

---

10. emploi de **so** reprenant **murder.**
11. expression **to take something for granted,** *considérer quelque chose comme acquis.* **I take it for granted,** *cela va de soi pour moi.*
12. traduction de **until,** *avant que, de,* « jusqu'à ce que ».
13. ⚠ **opportuneness, timeliness** *(au bon moment)*, **appropriateness** *(ce qui convient)*, *opportunité.*
14. **will** employé à la première personne du sing. et pl. indique la volonté du sujet, d'où, **I will explain,** *je vais expliquer.*
15. **district :** *région, division administrative,* d'où, *canton, arrondissement, quartier.*
16. art. indéfini devant Mr, Mrs ou Miss suivis d'un prénom et d'un patronyme traduit par un(e) certain(e) : **a Mrs (Jane) Smith,** *une certaine Mrs (Jane) Smith.*
17. **the old country,** dénomination affective et familière de l'Angleterre, d'où, *le pays.*
18. ⚠ *louer* (propriétaire), **to let, house to let,** *maison à louer ; louer* (locataire), **to rent, they rent a house for the holidays,** *ils louent une maison pour les vacances.*

The men had known each other [1] in the Colonies, so that it was not unnatural [2] that when they came to settle down [3] they should [4] do so as near each other as possible. Turner was apparently the richer [5] man, so McCarthy became his tenant, but still remained, it seems, upon terms of perfect equality [6], as they were frequently together. McCarthy had one son, a lad of eighteen [7], and Turner had an only [8] daughter of the same age, but neither of them had wives [9] living.

They appear to have avoided the society of the neighbouring English [10] families, and to have led retired lives [11], though both the [12] McCarthys [13] were fond of sport, and were frequently seen [14] at the race meetings [15] of the neighbourhood [16]. McCarthy kept two servants — a man and a girl [17]. Turner had a considerable household, some half-dozen at the least [18]. That is as much as I have been able to gather [19] about the families. Now for the facts.

---

1 . emploi des pronoms réciproques **each other** pour un groupe de deux : **John and Peter have known each other for many years,** *John et Peter se connaissent depuis de nombreuses années* ; **one another** s'emploie pour un groupe de plus de deux : **they all helped one another,** *ils s'entraidaient tous.*

2 . négation double en angl. rendue par affirmation renforcée en fr., **it is not impossible,** *il est tout à fait possible.*

3 . « lorsqu'ils en vinrent à s'installer » ; **settler,** *colon ;* **settlement,** *établissement (colonial).*

4 . **should** marque ici le subjonctif et le style soutenu ; autre forme : **it was quite natural... for them to settle down.**

5 . emploi idiomatique du comparatif pour un groupe de deux ; en fr. un adj. est souvent rendu par un comparatif : **the poorer countries,** *les pays pauvres* (plus pauvres que les pays riches, **the richer countries**) ; **the Lower House of Parliament,** *la chambre basse du Parlement.*

6 . « sur des termes de parfaite égalité ».

7 . tournure elliptique : **a lad of eighteen** (years).

8 . emploi de **only** : **he is an only child,** *c'est un enfant unique ;* **this is the only copy I have,** *c'est le seul exemplaire en ma possession.*

9 . « aucun d'eux n'avait de femme vivante » ; emploi du pl. : **they came in with their hats in their hands,** *ils entrèrent le chapeau à la main.*

Ces hommes s'étaient connus aux colonies, si bien qu'il était tout naturel que, lorsqu'ils décidèrent de s'installer, ils le fissent aussi près l'un de l'autre que possible. Turner était apparemment le plus riche des deux, McCarthy devint donc son locataire, mais ils demeurèrent, semble-t-il, sur un pied de parfaite égalité puisqu'ils étaient souvent ensemble. McCarthy avait un fils, un garçon de dix-huit ans, et Turner une fille unique du même âge, mais l'un comme l'autre était veuf.

Apparemment, ils ne fréquentaient pas les familles anglaises du voisinage et menaient une vie retirée, encore que les deux McCarthy fussent des passionnés de sport que l'on voyait souvent sur les champs de courses de la région. McCarthy avait deux domestiques : un valet et une jeune bonne. Turner avait un train de maison important, d'au moins une demi-douzaine de serviteurs. C'est à peu près tout ce que j'ai pu apprendre sur les familles. Voyons maintenant les faits.

---

10. emploi de la majuscule aussi bien pour les noms que pour les adjectifs de nationalité.

11. « ils semblent avoir évité la compagnie des familles anglaises du voisinage et avoir mené une vie retirée. »

12. △ place de **the** après **both** ; *les deux enfants que nous avons rencontrés sont ses fils*, **both the children we met are his sons.**

13. les noms propres au pl. prennent un s ; les Durand : the Durands.

14. « raffolaient de sport et étaient fréquemment vus ».

15. **meetings,** *rencontres, réunions, événements* ; **race**, *course* (de chevaux ici), d'où la traduction *champs de courses.*

16. formation de substantifs avec suffixe **hood** : **neighbour**, *voisin*, **neighbourhood**, *voisinage*, d'où, *de la région :* **boyhood, girlhood,** *enfance, adolescence* ; **childhood,** *enfance.*

17. « un homme et une jeune fille ».

18. « Turner avait une maisonnée importante, d'environ une demi-douzaine au moins ». little, less, **the least.**

19. **to gather,** *rassembler* (faits, objets), d'où, *comprendre.*

One June 3 — that is, on Monday [1] last — McCarthy
left his house at Hatherley about three in the afternoon [2], and walked down to the Boscombe Pool [3],
which is a small lake formed by the spreading out of
the stream which runs down the Boscombe Valley [4].
He had been out with his serving-man [5] in the morning
at Ross, and he had told the man that he must hurry [6],
as he had an appointment [7] of importance to keep at
three. From that appointment he never came back
alive [8].

"From Hatherley Farm-house to the Boscombe Pool
is a quarter of a mile [9], and two people saw him as
he passed over this ground [10]. One was an old woman,
whose name is not mentioned, and the other was
William Crowder, a gamekeeper in the employ of
Mr Turner.

Both these [11] witnesses depose [12] that Mr McCarthy
was walking [13] alone. The gamekeeper adds that within
a few minutes of his seeing Mr McCarthy pass [14] he
had seen his son, Mr James McCarthy, going [15] the
same way with a gun under his [16] arm.

---

1 . une date (mois, jour, quantième) est toujours précédée
de **on** ; le quantième s'écrit en chiffre simple, est lu **(the)
third** (G.B.), **three** (U.S.) ; jours et mois s'écrivent avec
majuscules.

2 . l'heure est toujours suivie de **in the morning** ou **a.m.**
(ante meridiem), du matin, **in the afternoon,** *de l'après-
midi,* **in the evening,** ou **p.m.** *(post meridiem), du soir.*

3 . **pool** : 1) *étang, mare,* **swimming-pool,** *piscine,* 2)
ensemble, groupe, **motor pool,** *parc de véhicules.*

4 . « descendit à pied jusqu'à l'étang de Boscombe qui est
un petit lac formé par l'élargissement du cours d'eau qui
descend le val de Boscombe. »

5 . **servant** (mod.).

6 . « il avait dit à l'homme qu'il lui fallait se presser ».

7 . ▲ *appointement,* **wages, salary** ; **date,** *rendez-vous*
(amoureux).

8 . **alive,** *en vie, vivant* s'emploie, comme **asleep,** *endormi,*
awake, *éveillé,* après **to be, to appear** ; **living,** *vivant, des*
créatures vivantes, **living creatures** ; **live,** *animé de vie,*
d'où, *fils sous tension,* **live wires,** *programme transmis en*
direct, **live programme** ; **lively,** *vivant, gai, enjoué.* « de
ce rendez-vous il n'est jamais revenu vivant ».

Le 3 juin, c'est-à-dire lundi dernier, McCarthy a quitté sa maison de Hatherley vers trois heures de l'après-midi et s'est rendu à pied à l'étang de Boscombe, là où s'élargit le cours d'eau qui arrose le Val de Boscombe. Le matin il était allé à Ross avec son domestique auquel il avait dit devoir se presser, en raison d'un rendez-vous important à trois heures. Il n'est jamais revenu de ce rendez-vous.

Il y a quatre cents mètres entre la ferme de Hatherley et l'étang de Boscombe et deux personnes ont vu McCarthy tandis qu'il parcourait cette distance : une vieille femme, dont le nom n'est pas mentionné, et William Cowder, un garde-chasse au service de M. Turner.

Ces deux témoins déclarent que M. McCarthy marchait seul. Le garde-chasse ajoute que, quelques minutes après avoir vu passer M. McCarthy, il avait aperçu le fils de ce dernier, M. James McCarthy, qui allait dans la même direction un fusil sous le bras.

---

9. **one mile.** *1 609 mètres,* d'où, **one quarter of a mile,** *quatre cents mètres.*

10. « deux personnes l'ont vu tandis qu'il traversait ce terrain ».

11. place du démonstratif **these** après **both.**

12. « déposent ».

13. forme en **ing** indiquant que l'action était en progrès ; la tournure *en train de* serait gauche.

14. « ajoute que dans l'espace des quelques minutes après qu'il a vu passer M. McCarthy » ; **his seeing.** tournure fréquente mais employée surtout dans le style soutenu, forme plus simple : **a few minutes after he had seen Mr McCarthy pass** ; *son arrivée tardive,* **his being late** ; infinitif sans **to** après **see** (verbe de perception), *je le vis entrer,* **I saw him enter.**

15. forme en **ing** après verbes de perception insiste sur l'action perçue ; infinitif sans **to** (v. 4) insiste sur la perception.

16. adj. possessif devant les parties du corps ; *il s'est cassé la jambe,* **he broke his leg,** *il a le nez qui coule,* **his nose is running.**

To the best of his belief [1], the father was actually [2] in sight at the time, and the son was following him. He thought no more of the matter until he heard in the evening of [3] the tragedy that had occurred.

"The two McCarthys were seen after the time when William Crowder, the gamekeeper, lost sight of them [4]. The Boscombe Pool is thickly wooded round [5], with just a fringe of grass and of reeds round the edge [6]. A girl of fourteen [7], Patience Moran, who is the daughter of the lodgekeeper [8] of the Boscombe Valley Estate [9], was in one of the woods picking flowers. She states that while she was there she saw, at the border of the wood and close by the lake, Mr McCarthy and his son, and that they appeared to be having a violent quarrel [10]. She heard Mr McCarthy the elder [11] using [12] very strong language [13] to his son, and she saw the latter [14] raise up his hand as if to strike his father.

She was so frightened [15] by their violence that she ran away [16], and told her mother when she reached home [17] that she had left the two McCarthys quarrelling near Boscombe Pool, and that she was afraid that they were going to fight.

---

1 . autre locution, *autant que je sache, pense,* to the best of my knowledge.

2 . ▲ *actuellement,* now, currently, presently (U.S.), at (for) the present ; *en fait, réellement,* **actually.**

3 . expression *entendre parler de quelque chose,* to hear of something.

4 . locution *perdre quelqu'un de vue,* to lose sight of somebody.

5 . « L'étang de Boscombe est boisé de manière épaisse à son entour ».

6 . « avec juste une bordure d'herbe et de roseaux autour du bord ».

7 . *adolescent* : from thirteen to nineteen, d'où, teenagers.

8 . « gardien de la loge » (qui se trouve à l'entrée de la propriété).

9 . **estate** : *propriété,* d'où, **real estate,** *immobilier,* **real estate agent, agency,** *agent, agence immobilièr(e),* **realtor** (U.S.), *agent immobilier.*

Pour autant qu'il s'en souvienne, à ce moment-là, le père était encore bien visible et son fils le suivait. Il oublia totalement cet incident jusqu'à ce qu'il apprenne, dans la soirée, le drame qui s'était déroulé.

« Les deux McCarthy ont été vus après le moment où William Crowder, le garde-chasse, les a perdus de vue. L'étang de Boscombe est entouré de bois épais, et seulement bordé d'herbe et de roseaux. Une adolescente de quatorze ans, Patience Moran, fille du gardien de la propriété du Val de Boscombe, cueillait des fleurs dans l'un de ces bois. Elle déclare que, tandis qu'elle se trouvait là, elle vit, à l'orée du bois et tout près du lac, M. McCarthy et son fils qui paraissaient se quereller de manière violente. Elle entendit M. McCarthy père employer un langage très dur à l'adresse de son fils et elle vit ce dernier lever la main comme pour frapper son père.

Elle fut si effrayée par leur violence qu'elle s'enfuit en courant et annonça à sa mère en arrivant chez elle qu'elle avait laissé les deux McCarthy en train de se quereller près de l'étang de Boscombe et qu'elle avait peur qu'ils ne se battent.

---

10. « semblaient avoir une violente altercation ».
11. ici *père*, mod. **senior** par opposition à **junior** ; mod. l'aîné par opposition au cadet des frères et **the elders,** *les anciens ;* **the elderly, senior citizens** (U.S.), *personnes âgées.*
12. forme en **ing** après **to hear** ; l'accent est placé sur ce qu'elle a entendu.
13. ▲ *injures,* **abuses** ; **injuries,** blessures.
14. *le premier,* **the former,** *le dernier,* **the latter** ; emploi du comparatif (irrégulier ici) de **late** dans un groupe de deux unités ; comparatif régulier, **later, the latest** ; **the latest news,** *les dernières nouvelles,* **the last on the list,** *le dernier de la liste.*
15. formation du verbe par suffixe -en après subst. **fright,** *frayeur.*
16. postposition **away** signifie éloignement ; traduction ici insiste sur la fuite, **away** indique souvent le départ.
17. « quand elle atteignit sa maison ».

She had hardly [1] said the words when young Mr McCarthy came running up to the lodge to say that he had found his father dead in the wood, and to ask for [2] the help of the lodge-keeper. He was much excited [3], without either his gun or his hat, and his right hand and sleeve were observed to be stained with fresh blood [4]. On following him [5] they found the dead body of his father stretched out upon the grass beside the Pool. The head had been beaten in [6] by repeated blows of some heavy and blunt weapon. The injuries [7] were such as [8] might very well have been inflicted by the butt-end of his son's gun, which was found lying on the grass within a few paces [9] of the body. Under these circumstances [10] the young man was instantly arrested, and a verdict of 'Wilful Murder' [11] having been returned at the inquest [12] on Tuesday, he was on Wednesday brought before the magistrates [13] at Ross, who have referred the case to the next assizes [14]. Those are the main facts of the case as they came out before the Coroner [15] and at the police-court [16]".

"I could hardly imagine a more damning [17] case," I remarked. "If ever circumstantial evidence pointed to [18] a criminal it does so [19] here."

---

1. ▲ *dur,* hard, *travailler dur,* to work hard ; *à peine, difficilement,* hardly.
2. préposition **for** après **to ask,** *demande du pain,* ask for some bread.
3. Δ **excited,** *surexcité.*
4. Δ prononciation (blʌd), **flood,** *inondation, déluge* (flʌd).
5. construction avec préposition **on** qui est suivie de la forme en **ing** ; « lorsqu'ils le suivirent ».
6. postposition **in** se traduit par verbe *enfoncer.*
7. ▲ *injures,* **abuses** ; *blessures,* **injuries.**
8. tournure plus concise qu'en français, omission du pronom **they.**
9. **within,** *à l'intérieur de,* d'où, *à moins de quelques pas.*
10. expression à retenir : *en de telles circonstances* est une autre traduction possible.
11. terme juridique : *homicide volontaire* ; **manslaughter,** *homicide involontaire.*
12. il s'agit ici de l'enquête menée par un Coroner, voir plus bas.

Elle avait à peine prononcé ces paroles que le jeune McCarthy arriva au pavillon en courant pour dire qu'il avait découvert son père mort dans le bois et pour demander l'aide du gardien. Il était surexcité au possible, sans fusil ni chapeau, et on remarquait des taches de sang frais sur sa main et sa manche droites. Après l'avoir suivi, ils trouvèrent le cadavre de son père allongé sur l'herbe près du lac. On lui avait défoncé le crâne à coups répétés avec un instrument lourd et contondant. Les blessures étaient telles qu'elles auraient très bien pu avoir été infligées avec la crosse du fusil appartenant au fils, qu'on retrouva dans l'herbe à quelques pas du corps. Dans ces conditions, on arrêta le jeune homme sur-le-champ et, le verdict d'homicide volontaire ayant été rendu au cours de l'enquête judiciaire de mardi, on l'amena mercredi devant le tribunal de Ross qui renvoya l'affaire aux prochaines assises. Ce sont là les principaux faits de cette affaire, tels qu'ils furent exposés devant le coroner et la police ».

— Je pourrais difficilement imaginer un dossier plus accablant, remarquai-je. Si jamais des présomptions ont accusé le criminel, c'est bien ici le cas.

---

13. le Coroner envoie l'affaire devant les tribunaux correctionnels de Ross.
14. il s'agit comme en français des assises.
15. le Coroner est le plus souvent un notable (médecin, dentiste...) chargé dans les petites agglomérations de mener « l'**inquest** » en cas de mort suspecte.
16. il s'agit du tribunal de simple police (aujourd'hui « de première instance »).
17. v. **to damn**, *damner, condamner*, d'où le sens ici d'*accablant, qui condamne*.
18. △ **evidence** toujours au sing. : *preuve, témoignage ;* ici *expression juridique, preuve indirecte, par présomption ;* **to give evidence,** *témoigner,* **to point to,** *montrer du doigt, désigner, indiquer.*
19. « elles le font ici ». **so** reprenant une proposition déjà exprimée : **I think so,** *je le pense,* **I hope so,** *je l'espère.*

"Circumstantial evidence is a very tricky thing [1]," answered Holmes thoughtfully ; "it may seem to point very straight to one thing [2], but if you [3] shift your own point of view a little, you may find it pointing in an equally uncompromising manner [4] to something [5] entirely different. It must be confessed, however, that the case looks exceedingly grave against [6] the young man, and it is very possible that he is indeed the culprit. There are several people in the neighbourhood, however, and among them [7] Miss Turner, the daughter of the neighbouring landowner, who believe in his innocence, and who have retained Lestrade, whom you may remember in connection with [8] the Study in Scarlet, to work out [9] the case in his [10] interest. Lestrade, being rather puzzled, has referred the case to me, and hence [11] it is that two middle-aged [12] gentlemen are flying [13] westward at fifty miles an hour [14], instead of quietly digesting their breakfasts at home."

"I am afraid," said I, "that the facts are so obvious that you will find little credit to be gained out [15] of this case."

"There is nothing more deceptive [16] than an obvious fact," he answered, laughing [17].

---

1 . « les preuves par présomption sont des choses très délicates (pleines de complications) » ; v. au sing., △ trick, ruse, astuce d'où tour, blague, farce, to play a dirty trick on somebody, jouer un sale tour à quelqu'un.

2 . « elles peuvent sembler indiquer directement une seule chose » ; emploi de **thing** qu'il faut rendre par tout autre terme que chose.

3 . emploi de **you** impersonnel, proche du français vous utilisé dans recettes, modes d'emploi, d'où, ici, on.

4 . « d'une manière également inflexible » ; une attitude n'admettant aucun compromis, intransigeante, an uncompromising attitude.

5 . **something** traduit par piste. Cf. note 2.

6 . prép. **against**, contre, rendue par pour.

7 . « et parmi elles ».

8 . « en liaison avec ».

9 . △ postposition out indique qu'à force de travail, de recherches on fait sortir la solution : to work out, élaborer, d'où, ici, élucider.

— Les présomptions sont très déroutantes, répondit Holmés d'un air pensif. Elles peuvent sembler indiquer clairement une piste, mais si on change légèrement de point de vue, on peut découvrir qu'elles indiquent de manière tout aussi catégorique une piste entièrement différente. Il faut cependant avouer que l'affaire paraît extrêmement grave pour le jeune homme et il se peut fort bien que ce soit en fait lui le coupable. Il y a toutefois plusieurs personnes du voisinage, parmi lesquelles Miss Turner, la fille du propriétaire, qui croient en son innocence et ont engagé Lestrade, que vous vous rappelez peut-être en ce qui concerne l'Étude en Rouge, afin qu'il élucide cette affaire dans l'intérêt du jeune homme. Assez intrigué, Lestrade m'a transmis l'affaire et voilà pourquoi deux messieurs d'un certain âge filent vers l'ouest à quatre-vingts kilomètres à l'heure, au lieu d'être chez eux, à digérer tranquillement leur petit déjeuner.

— Je crains, fis-je, les faits étant si évidents, que vous ne découvriez que cette affaire n'apportera pas grand'chose à votre réputation.

— Il n'y a rien de plus trompeur qu'un fait évident, répondit-il en riant.

---

10. pron. poss. **his** traduit par *du jeune homme.*
11. **here,** *ici ;* **hence,** *à partir d'ici (de là),* donc, *ainsi.*
12. ▲ formation adj. composés avec deux noms ; **middle age, middle-aged,** blue eyes, blue-eyed.
13. **to fly, I flew, flown,** *voler* d'où *filer.*
14. « à cinquante miles à l'heure ».
15. « je crains que les faits ne soient si évidents que vous ne trouviez que peu de crédit à être gagné dans cette affaire ». prép. **out of** : to drink out of a glass, *boire dans un verre.*
16. ▲ **deceptive** adj. venant du v. **to deceive,** *tromper,* subst. **deceiver,** *trompeur, imposteur,* p.p. **deceived,** *trompé ; décevoir,* **to disappoint** ; *déception,* **disappointment.**
17. prononciation **to laugh** (la:f) **enough,** (i'nʌf).

"Besides, we may chance to hit upon [1] some other obvious facts which may have been [2] by no means [3] obvious to Mr Lestrade. You know me too well to think that I am boasting when I say that I shall either confirm or destroy his theory by means [3] which he is quite incapable of employing, or even of understanding. To take the first example to hand [4], I very clearly perceive that in your bedroom the window is upon the right-hand side [5], and yet I question whether [6] Mr Lestrade would have noted even so self-evident a thing as that [7]."

"How on earth —— !" [8]

"My dear fellow, I know you well. I know the military neatness [9] which characterizes you. You shave [10] every morning and in this season you shave by [11] the sunlight, but since your shaving is less and less [12] complete as we get farther back on the left side until it becomes positively slovenly as we get round the angle of the jaw [13], it is surely very clear that that side is less well illuminated than the other. I could not imagine a man of your habits looking at himself in a equal light [14], and being satisfied with such a [15] result.

---

1 . « nous pouvons trouver par hasard... » ici trois mots reprennent l'idée de hasard, d'éventualité. I may..., *il se peut que je...,* to chance, conjugué avec des pronoms personnels mais traduit par la tournure impersonnelle *il se trouve que...,* I chanced to be here, *il se trouve que j'étais présent,* to hit upon, *trouver, tomber sur ;* by chance, *par hasard ;* a chance encounter, *une rencontre fortuite.*

2 . « qui n'aient pu être évidents » ; la forme du passé est indiquée par l'infinitif en anglais, I may comme I must, I can n'ayant pas de p.p.

3 . Δ **means,** *moyen,* forme unique pour le singulier et le pluriel.

4 . « le premier exemple à portée de la main ».

5 . « sur le côté main droite », à rapprocher des tournures familières *à main droite, à main gauche ;* emploi plus fréquent en anglais, **on the left-hand side,** *à gauche.*

6 . emploi de **whether** indiquant doute ; if indique condition, **if you don't hurry, we 'll miss the train,** *si vous ne vous pressez pas, nous manquerons le train.*

De plus, il se peut que le hasard nous fasse découvrir d'autres faits évidents qui n'aient pu se révéler en aucun cas évidents pour M. Lestrade. Vous me connaissez trop bien pour penser que je me vante lorsque je dis que soit je confirmerai soit je détruirai sa version des faits grâce à des moyens qu'il est totalement incapable d'utiliser, ou même de comprendre. Pour prendre le premier exemple qui me vient à l'esprit, je perçois très clairement que dans votre chambre la fenêtre se trouve à droite et pourtant je me demande si M. Lestrade aurait noté même un fait d'une telle évidence.

— Comment diable... !

— Mon cher ami, je vous connais bien. Je sais la rigueur militaire qui vous caractérise. Vous vous rasez tous les matins et en cette saison vous le faites à la lumière du jour, mais comme vous êtes rasé de moins en moins près à mesure qu'on progresse le long du côté gauche de votre visage, au point que votre rasage se trouve franchement négligé à l'angle de la mâchoire, il est parfaitement évident que le côté gauche bénéficie d'un moins bon éclairage. Je ne pourrais imaginer un homme ayant vos habitudes qui se raserait dans une lumière égale et serait satisfait d'un tel résultat.

---

7 . place de l'art. ind. dans la tournure après l'adj. ; « une chose aussi évidente par elle-même que cela... »

8 . juron « correct » ; autre forme indiquant surprise, agacement : **what on earth are you doing ?** *qu'es-tu en train de faire ?*

9 . adj. **neat,** *net, correct, de bon aloi,* d'où, *rigueur.*

10. emploi du présent simple pour une action qui se répète tous les jours ou machinalement.

11. emploi de la préposition **by,** le fameux **Paris by night.**

12. *de moins en moins,* **less and less** plus l'adj.

13. « nous nous éloignons sur le côté gauche jusqu'à ce qu'il devienne vraiment négligé comme nous passons l'angle de la mâchoire ».

14. « je ne pourrais imaginer un homme de vos habitudes se regardant dans une lumière égale »...

15. △ place de l'art. défini après **such.**

I only quote [1] this as a trivial [2] example of observation and inference [3]. Therein [4] lies my métier, and it is just possible that it may be of some service in the investigation [7] which lies before us [5].

There are one or two minor points which were brought out [6] in the inquest [7], and which are worth considering [8]."

"What are they ?"

"It appears that his arrest did not take place at once, but after the return to Hatherley Farm. On [9] the inspector of constabulary informing him that he was a prisoner [10], he remarked that he was not surprised to hear it, and that it was no more than his deserts [11]. This observation of his [12] had the natural effect of removing [13] any [14] traces of doubt which might have remained [15] in the minds of the Coroner's jury."

"It was a confession, [16]" I ejaculated.

"No, for it was followed by a protestation of innocence."

"Coming on the top of such a damning series [17] of events, it was at least a most suspicious remark."

"On the contrary," said Holmes, "it is the brightest rift [18] which I can at present see in the clouds.

---

1. v. **to quote,** *citer* et *coter* (bourse, tarif) ; quotation, *citation* et *cote ;* please quote us for 12 typewriters, *veuillez nous faire connaître vos prix pour 12 machines à écrire.*

2. **trivial,** *trivial, de peu d'importance* d'où **a trifle,** *une babiole, un rien ;* trifling, adj., *de peu d'importance.*

3. v. to **infer,** *insinuer, déduire.*

4. ∆ construction **therein,** *in that ; thereupon, upon that, sur ce ;* thereby, by that, therefore, for that, *par conséquent, pour cela ;* cf. **here, this ; herewith, with this,** *ci-joint;* **herein, in this.**

5. « qui s'étend devant nous ».

6. emploi postposition **out,** *faire ressortir.*

7. **investigation,** *enquête menée par détective ;* **inquest,** *enquête menée par police ou coroner.*

8. emploi forme en -ing après tournure **to be worth.** Is it **worth doing it ?** *Cela vaut-il la peine de le faire ?* It is **worth the trip,** *cela vaut le voyage, d'y aller.*

9. construction avec prép. **on** et emploi de la forme en -ing ; forme plus simple : **when the inspector informed him.**

30

Je cite cela seulement comme exemple banal d'observation et de déduction. C'est en cela que réside mon métier et il est simplement possible qu'il puisse être de quelque service dans l'enquête qui nous attend.

Il y a deux ou trois points mineurs qui ont été mis en lumière au cours de l'enquête judiciaire et qui méritent d'être examinés.

— Quels sont-ils ?

— Il semble que l'arrestation n'ait pas eu lieu immédiatement mais après le retour du jeune homme à la ferme Hatherley. Lorsque l'inspecteur de police l'avertit qu'il était en état d'arrestation, il répondit qu'il n'était pas surpris d'entendre cela et qu'il le méritait. Sa remarque eut l'effet naturel de dissiper toute trace de doute qui aurait pu demeurer dans l'esprit des jurés convoqués par le Coroner.

— C'était un aveu, m'écriai-je.

— Non, car ce fut suivi d'une protestation d'innocence.

— Venant s'ajouter à une série de faits accablants, cette déclaration est du moins des plus suspectes.

— Au contraire, affirma Holmes. C'est l'éclaircie la plus belle que je puisse voir à présent parmi les nuages.

---

10. « qu'il était prisonnier ».
11. ∆ prononciation ; **desert(s)**, généralement au pluriel (di'zə:ts). *dû, ce qu'on mérite,* **he got his deserts**, *il a reçu ce qu'il méritait* ; mais **desert** ('dezət) *le désert ;* **dessert** (di'zɜ:t) *dessert ;* **to desert** (di'zɜ:t) *déserter.*
12. tournure, style soutenu ou forme d'insistance, *je n'aime pas ton ami,* **I don't like this friend of yours** ; *c'est mon ami,* **he is a friend of mine.**
13. **to remove,** *enlever, effacer,* d'où, *dissiper.*
14. emploi de **any** dans une affirmation avec le sens de *n'importe,* d'où, *tout(e).*
15. emploi de l'infinitif passé en anglais, **have remained** qui est traduit par le passé *auraient pu demeurer.*
16. **confession,** *aveu,* **to confess,** *avouer, confesser.*
17. aspect pluriel de **a series.**
18. **a rift in the clouds,** *trouée, éclaircie ;* **in a party,** *scission,* d'où, *division, désaccord.*

However innocent he might be [1], he could not be such an absolute imbecile as [2] not to see that the circumstances were very black against him [3]. Had he appeared surprised at his own arrest [4], or feigned indignation at it, I should have looked upon it [5] as highly suspicious, because such surprise or anger would not be natural under the circumstances and yet might appear to be the best policy to a scheming [6] man. His frank acceptance of the situation marks him as either an innocent man, or [7] else as a man of considerable self-restraint and firmness. As to his remark [8] about his deserts, it was also not unnatural if you consider that he stood by the dead body [9] of his father, and that there is no doubt that he had that very [10] day so far forgotten his filial duty as to bandy words [11] with him, and even, according to the little girl whose evidence is so important, to raise his hand as if to strike him. The self-reproach [12] and contrition which are displayed in his remark appear to me to be signs of a healthy mind, rather than of a guilty one [13]".

I shook my head. "Many men have been hanged on far slighter evidence," I remarked.

"So they have [14]. And many men have been wrongfully hanged [15]."

---

1. construction **however** + adj. : however good it is I don't like this cake, *aussi bon soit-il, ce gâteau ne me plaît pas.*
2. construction **such...as**, *tel... que.*
3. « il ne pouvait pas être un imbécile aussi complet pour ne pas voir que les circonstances étaient noires contre lui ».
4. la préposition **at** employée après **surprised**.
5. emploi du pronom **it** rendu en français par *son attitude.*
6. v. **to scheme** (ski : m), *combiner, machiner, intriguer,* d'où, **scheming**, *rusé.*
7. emploi prép. **as** après v. **to mark**.
8. construction **as to me**, *quant à moi.*
9. « le corps mort » ; *cadavre,* **corpse**, mais **corps** (kɔ:), *corps d'armée, diplomatique.*
10. ⚠ emploi de **very** devant nom donnant le sens de *même,* **you are the very man I wanted to see**, *c'est bien vous l'homme que je désirais voir, vous êtes l'homme même que je voulais voir.*

Aussi innocent soit-il, il ne pourrait pas être assez stupide pour ne pas voir que les circonstances sont contre lui. S'il eût paru surpris de son arrestation ou feint de s'en indigner, j'aurais considéré son attitude comme très suspecte parce qu'une telle surprise ou une telle colère n'auraient pas été naturelles dans ces circonstances, mais auraient pu sembler être la meilleure politique pour un homme rusé. Son acceptation franche de la situation le désigne soit comme un innocent soit encore comme un homme possédant une grande maîtrise de soi ou une grande fermeté. Quant à sa remarque concernant ce qu'il méritait, elle n'était pas non plus anormale si on considère qu'il se tenait près du cadavre de son père et qu'il ne fait aucun doute que ce jour même il avait été jusqu'à oublier son devoir filial pour échanger des injures avec lui et même, selon la petite fille dont le témoignage est si important, pour lever la main comme pour le frapper. Les reproches qu'il s'adresse et le remords que montre sa remarque me semblent être le signe d'un esprit sain, plutôt que d'une âme coupable ».

— Bien des hommes ont été pendus sur des preuves beaucoup plus légères, fis-je en secouant la tête.

— Certes. Mais beaucoup l'ont été à tort.

---

11. expression **to bandy words with somebody**, *échanger des injures avec quelqu'un.*
12. emploi du suffixe **self**, à rapprocher de **myself, yourself,** (pronoms réfléchis) : ici *reproche adressé à soi-même* ; plus haut **self-restraint,** *retenue (de soi-même)* ; même construction dans **self control,** *contrôle de soi-même.* **self consciousness,** *timidité* (provenant d'une trop grande conscience de soi-même) ; le suffixe **self** donne aussi **selfish,** *égoïste,* **selfishness,** *égoïsme.*
13. **one** reprend **mind** mais en français **one** se traduit par *âme* afin d'éviter la répétition d'*esprit.*
14. tournure à rapprocher de la traduction de *moi aussi,* qui selon le cas devient **so am I, so have I, so do I,** etc., ici la traduction ne peut être « eux aussi » car il s'agit de renforcer l'affirmation précédente d'où *certes.*
15. « Et de nombreux hommes ont été pendus à tort » ; adverbe **wrongfully,** *de manière injustifiée.*

"What is the young man's own account [1] of the matter ?" [2]

"It is, I am afraid, not very encouraging to his supporters [3], though there are one or two points in it which are suggestive. You will find it here, and may read it for yourself [4]."

He picked out from his bundle a copy [5] of the local Herefordshire paper, and having turned down the sheet [6], he pointed out the paragraph in which the unfortunate young man had given his own statement of what had occurred [7]. I settled myself down in the corner of the carriage, and read it very carefully. It ran in this way [8] :

"Mr James McCarthy, the only son of the deceased, was then called, and gave evidence [9] as follows : "I had been away from home for three days at Bristol [10], and had only just returned upon [11] the morning of last Monday, the 3rd. My father was absent from home at the time of my arrival [12], and I was informed by the maid that he had driven [13] over to Ross with John Cobb, the groom. Shortly after my return I heard the wheels of his trap [14] in the yard, and, looking out of my window [15], I saw him get out [16] and walk rapidly out of the yard [17], though I was not aware [18] in which direction he was going.

---

1 . **account** [əkəunt].
2 . « quelle est la propre relation de l'affaire du jeune homme ? » expression **to give an account of something** : *rendre compte de quelque chose*.
3 . **supporters** aurait pu être traduit par *supporters*. v. **to support**, *soutenir*.
4 . tournure **for yourself**, « pour vous-même », **see for yourself**, *voyez par vous-même, rendez-vous compte*.
5 . sens de **copy**, *copie, exemplaire, numéro* (de journal, de revue).
6 . **sheet**, *feuille,* d'où, *page*.
7 . « de ce qui s'est passé ». v. **to occur**, *se produire, se dérouler, avoir lieu* mais it **occurs** to me that..., *il me vient à l'esprit que...* L'accent est sur la seconde syllabe, d'où, au passé, doublement de la consonne finale. **occurred**.
8 . « Il était rédigé de cette manière », d'où, *disait ceci*.

34

— Quelle version ce jeune homme donne-t-il de l'affaire ?

— Elle n'est pas, je le crains, très encourageante pour les gens qui sont en sa faveur, bien qu'il y ait un ou deux points qui donnent à penser. Vous trouverez tout cela là-dedans, et pouvez le lire pour vous en rendre compte.

Il extirpa du paquet de journaux un numéro du journal régional du Herefordshire et après avoir tourné vers moi la page m'indiqua le paragraphe où l'infortuné jeune homme relatait les événements. Je m'installai confortablement dans le coin du compartiment pour lire avec attention le paragraphe qui disait ceci :

« M. James McCarthy, fils unique du défunt, est alors appelé à la barre et fait la déposition suivante : — J'étais allé passer trois jours à Bristol, et venais de rentrer le 3 au matin, lundi dernier. Mon père n'était pas à la maison lorsque j'y arrivai et la bonne m'informa qu'il était allé à Ross avec John Cobb, le valet. Peu après mon retour, j'entendis le bruit des roues de son cabriolet dans la cour et, m'étant mis à la fenêtre, je le vis descendre de voiture et sortir rapidement de la cour bien que je n'aie pu me rendre compte de la direction qu'il empruntait.

---

9 . passage du passé au présent. « donna témoignage ».

10. « j'étais parti de chez moi pendant trois jours à Bristol. » emploi de **for** devant expression d'une durée.

11. emploi prép. **upon** devant date ; forme **on** aurait pu être employée.

12. « au moment de mon arrivée ».

13. emploi du v. **to drive** indiquant la manière précise dont le père était parti, en voiture.

14. mot archaïque.

15. « regardant par ma fenêtre ».

16. emploi de l'infinitif sans **to** après un verbe de perception.

17. traduction indique d'abord l'action, sortir, que signale la préposition **out**.

18. expression **to be aware of something**, *être conscient de quelque chose.*

I then took my gun, and strolled [1] out in the direction of the Boscombe Pool, with the intention of visiting the rabbit warren [2] which is upon the other side. On my way [3] I saw William Crowder, the gamekeeper, as he [4] has stated in his evidence ; but he is mistaken in thinking that I was following [5] my father. I had no idea that he was in front of me. When about a hundred yards [6] from the Pool I heard a cry of "Cooee !" which was a usual signal between my father and myself. I then hurried forward [7], and found him standing by the Pool. He appeared to be much [8] surprised at seeing me, and asked me rather [9] roughly what I was doing there. A conversation ensued, which led to high words [10], and almost to blows, for my father was a man of a very violent temper. Seeing that his passion [11] was becoming ungovernable, I left him, and returned towards Hatherley Farm. I had not gone more than one hundred and fifty yards, however, when I heard a hideous outcry behind me, which caused me to run back again [12]. I found my father expiring on the ground, with his head terribly injured [13]. I dropped my gun, and held him in my arms, but he almost instantly expired. I knelt beside him for some minutes, and then made my way [14] to Mr Turner's lodge-keeper [15], his house being the nearest [16], to ask for assistance.

---

1 . la traduction ne rend pas le sens du v. **to stroll**, *flâner, aller sans se presser*.

2 . **rabbit**, *lapin*, n'apparaît pas dans la traduction.

3 . « sur mon chemin », tournure fréquente **on my way to school**, *en me rendant à l'école*.

4 . dans la traduction **he** est rendu par *celui-ci*.

5 . emploi de la forme en -**ing**, indiquant que l'action est en train de se faire — à opposer aux emplois du prétérit simple pour les actions sans durée.

6 . tournure elliptique sans v. ; « quand à environ cent yards ».

7 . « puis je me pressais en avant » ; démarche habituelle dans la traduction des postpositions et des prépositions.

8 . emploi de **much** devant les participes passés employés comme adjectifs, remplace **very**.

Je pris alors mon fusil et me dirigeai vers l'étang de Boscombe dans le but de me rendre dans la garenne qui est de l'autre côté. En chemin, je vis William Crowder, le garde-chasse, comme ce dernier le déclara dans son témoignage ; mais il s'est trompé en pensant que je suivais mon père. J'étais loin de penser que celui-ci était devant moi. A environ une centaine de mètres de l'étang, j'entendis crier "Couhii !" qui était un signal habituel entre mon père et moi. J'avançai alors rapidement et le trouvai debout près de l'étang. Il parut très surpris de me voir et me demanda assez brutalement ce que je faisais là. Une conversation s'ensuivit qui conduisit à des termes vifs et presque à des coups, car mon père était d'un tempérament très violent. Voyant que son emportement devenait incontrôlable, je le quittai et revins à la ferme Hatherley. Je n'avais pas fait plus de cent cinquante mètres, cependant, lorsque j'entendis un cri atroce derrière moi, ce qui me fit revenir en courant. Je découvris mon père expirant sur le sol, des blessures horribles à la tête. Je lâchai mon fusil et le tins dans mes bras, mais il expira presque immédiatement. Je m'agenouillai près de lui quelques minutes, puis revins jusqu'à la loge du gardien de M. Turner, dont la maison était la plus proche, pour demander de l'aide.

---

9 . N.B. **rather**, *assez, plutôt.*
10. « mots élevés », d'où, *vifs.*
11. **passion**, d'où, *emportement.*
12. une traduction possible de *faire* + infinitif actif ; on aurait pu dire **made me run back** : *le professeur fait chanter les élèves,* **the teacher makes the pupils sing** mais *le professeur fait chanter la chanson,* **the teacher has the song sung**, ici l'infinitif a un sens positif, d'où, emploi de **to have** + participe passé.
13. « avec sa tête terriblement blessée ».
14. expression **to make one's way** ; *il se rendit à la ville,* **he made his way to the town.**
15. « jusqu'au gardien de M. Turner ».
16. « sa maison étant la plus proche. »

I saw no one [1] near my father when I returned, and I have no idea how he came by his injuries [2]. He was not a popular [3] man, being somewhat [4] cold and forbidding [5] in his manners ; but he had, as far as I know [6], no active enemies. I know nothing further of the matter."

"The Coroner : Did your father make any [7] statement to you before he died ? [8]

"Witness : He mumbled a few words, but I could only catch some allusion to a rat.

"The Coroner : What did you understand by that ?

"Witness : It conveyed [9] no meaning to me. I thought that he was delirious.

"The Coroner : What was the point upon which you and your father had this final quarrel ?

"Witness : I should prefer not to answer.

"The Coroner : I am afraid that I must press [10] it.

"Witness : It is really impossible for me to tell you [11]. I can assure you that it has nothing to do with the sad tragedy which followed.

"The Coroner : That is for the Court to decide. I need not [12] point out to you that your refusal to answer will prejudice [13] your case considerably in any [14] future proceedings which may arise.

"Witness : I must still [15] refuse.

---

1. **no one**, *personne, pas une seule personne* ; **nobody**, *personne* ; **none**, *personne, aucun* ; **none of them**, *personne (aucun) d'entre eux.*

2. « *comment il avait obtenu (reçu) ses blessures* ». **How did you come by that dress ?** *Comment avez-vous déniché cette robe ?*

3. **this is a popular sport**, *c'est un sport très pratiqué* ; **he is popular with his colleagues**, *ses collègues l'aiment (l'apprécient) beaucoup.*

4. **somewhat** devant adj., *quelque peu.* **he is somewhat fat**, *il est un peu gras.*

5. adj. **forbidding** vient du v. **to forbid, forbade, forbidden**, *interdire, défendre*, d'où, *qui repousse, rébarbatif.*

6. **as far as I know**, *autant que je sache*, **as far as I am concerned**, *pour autant que je sois concerné.*

7. emploi de **any** dans une question dont la réponse peut être oui ou non.

38

Je ne vis personne près de mon père lorsque je revins et je n'ai pas la moindre idée de la façon dont il avait été blessé... Il n'était pas très aimé dans la région, car il était quelque peu froid et sévère dans ses manières ; mais, autant que je le sache, il n'avait aucun ennemi déclaré. Je ne sais rien d'autre dans cette affaire.

Le Coroner : Votre père vous a-t-il déclaré quelque chose avant sa mort ?

Le témoin : Il a bredouillé quelques mots, mais je n'ai pu saisir qu'une allusion à un rat.

Le Coroner : Qu'avez-vous compris par cela ?

Le témoin : Pour moi, cela n'avait aucun sens. J'ai pensé qu'il délirait.

Le Coroner : Sur quel point vous et votre père avez-vous eu cette ultime querelle ?

Le témoin : Je préférerais ne pas répondre.

Le Coroner : Je crains d'être obligé d'insister.

Le témoin : Il m'est réellement impossible de répondre. Je peux vous assurer que cela n'a rien à voir avec la triste tragédie qui a suivi.

Le Coroner : C'est au tribunal d'en décider. Je n'ai pas besoin de vous signaler que votre refus de répondre nuira considérablement à votre cause dans tout procès qui vous serait ultérieurement intenté.

Le témoin : Je dois pourtant refuser.

---

8 . « votre père vous a-t-il fait une déclaration quelconque avant de mourir ? »

9 . v. to convey, *transporter*, d'où, *communiquer*.

10. v. to press ici *forcer, insister.*

11. construction *il m'est impossible de faire*, it is impossible for me to do that.

12. absence de to devant infinitif qui suit : I need not tell you, *je n'ai pas besoin de vous dire*, mais I do not need this *je n'ai pas besoin de cela*.

13. ▲ prejudice, *préjugé* mais v. to prejudice, *causer un tort (un préjudice).*

14. any dans affirmation avec le sens de *n'importe quel, tout.*

15. always *toujours* (répétition), still, *toujours* (durée), *encore ;* he is still here, il est toujours ici.

"The Coroner : I understand that the cry of "Cooee" was a common signal between you and your father ?

"Witness : It was [1].

"The Coroner : How was it [2], then, that he uttered it before he saw you, and before he even knew that you had returned from Bristol ?

"Witness (with considerable confusion) [3] : I do not know.

"A Juryman [4] : Did you see nothing which aroused [5] your suspicions when you returned on hearing the cry, and found your father fatally injured ?

"Witness : Nothing definite.

"The Coroner : What do you mean ?

"Witness : I was so disturbed and excited [6] as I rushed out into the open, that [7] I could think of [8] nothing except my father. Yet I have a vague impression that as I ran forward something lay [9] upon the ground to the left of me. It seemed to me to be something grey [10] in colour, a coat of some sort, or a plaid perhaps. When I rose from my father [11] I looked round for it, but it was gone. [12]

"Do you mean that it disappeared before you went for help" [13].

"Yes, it was gone".

"You cannot say what it was ?"

---

1. l'anglais reprend le pronom et le verbe dans les réponses ; ici le cri it et was. Will you come tomorrow ? I will. Do you know him ? I do.

2. tournure, *comment se fait-il que... ?* How is it that ? How come that (U.S.)... ?

3. **confusion,** *confusion, embarras.* I felt confused, *je me sentis embarrassé.*

4. Le coroner est assisté d'un jury, d'où, **juryman,** *juré.*

5. to raise, raised, *lever, soulever ;* raise your hands, *levez la main ;* to rise, I rose, risen, *se lever ;* the sun rises in the east, *le soleil se lève à l'est ;* to arise, I arose, arisen, *surgir, se produire, se lever ;* the question arose, *la question s'est posée ;* to arouse, **aroused,** *soulever, produire,* the issue aroused a lot of passion, *le problème a déclenché beaucoup de passion.*

Le Coroner : J'ai compris que le cri « Couhii » était un signal commun entre vous et votre père.

Le témoin : Oui.

Le Coroner : Comment se fait-il alors qu'il l'ait poussé avant de vous voir et avant même de savoir que vous étiez revenu à Bristol ?

Le témoin (visiblement embarrassé) : Je n'en sais rien.

Un juré : N'avez-vous rien vu qui ait éveillé vos soupçons quand vous êtes revenu en entendant ce cri et quand vous avez trouvé votre père mortellement blessé ?

Le témoin : Rien de précis.

Le Coroner : Que voulez-vous dire ?

Le témoin : J'étais tellement troublé et tellement bouleversé en me précipitant hors du bois que je ne pensai à rien d'autre qu'à mon père. Cependant j'ai la vague impression que tandis que je courais vers lui quelque chose se trouvait par terre à ma gauche. Cela me sembla être d'une couleur grise, une sorte de veste, ou une couverture peut-être. Quand je me relevai après m'être penché sur mon père, j'ai regardé autour de moi, mais l'objet avait disparu.

— Voulez-vous dire qu'il avait disparu avant que vous n'alliez chercher de l'aide ?

— Oui. L'objet avait disparu.

— Vous ne pouvez pas dire ce que c'était ?

---

6 . adj. **excited,** *surexcité.*

7 . construction **so** + adj. + **that**…, **he was so happy that he jumped for joy,** *il était si heureux qu'il en sautait de joie.*

8 . **what are you thinking about ?** *à quoi pensez-vous ?* **Can you think of it ?** *Pouvez-vous y penser ?*

9 . **to lie, lay,** laid *étendre, poser par terre.*

10. *Quelque chose de noir, de vert,* **something black, green.**

11. Rôle très fort de la préposition **from**, qu'on est contraint de traduire par un verbe.

12. **it was gone,** *il était parti* mais **he has gone to**…, *il est allé à…*

13. « avant que vous n'alliez pour (trouver) de l'aide ».

"No, I had a [1] feeling something was there."

"How far from the body ?" [2]

"A dozen [3] yards or so."

"And how far from the edge of the wood ?"

"About the same."

"Then if it was removed [4] it was while you were within a dozen yards of it ?"

"Yes, but with my back towards it. [5]"

"This concluded the examination of the witness."

"I see," said I as I glanced down [6] the column, "that the Coroner in his concluding remarks [7] was rather severe upon [8] young McCarthy. He calls attention, and with reason, to [9] the discrepancy [10] about his father having signalled to him [11] before seeing him [12], also to his refusal to give details of his conversation with his father and his singular account of his father's dying words [13]. They [14] are all, as he remarks, very much against the son."

Holmes laughed softly to himself [15], and stretched himself out upon the cushioned seat. "Both you and the Coroner have been [16] at some pains," said he, "to single out [17] the very strongest points in the young man's favour.

---

1. emploi de l'article indéfini **an** rendu par l'article défini français : I have an impression that, *j'ai l'impression que,* I have a feeling that, *j'ai le sentiment que,* I have a notion to do that, *j'ai (l') envie de faire cela.*

2. construction **how + far** : « combien loin », d'où, *à quelle distance...* à rapprocher de **how long...** *de quelle longueur...* **how old are you ?** *quel âge avez-vous ?*

3. **dozen** traduit par *dizaine.*

4. voix passive rendue par tournure avec *on.*

5. « oui, mais avec mon dos vers lui ».

6. préposition **down** indique exactement le mouvement rapide du regard depuis le haut jusqu'au bas de la colonne.

7. « dans ses remarques qui concluaient ».

8. préposition **upon** ou **on** après **severe** (si'vi:ə) **hard.**

9. préposition **to** après expression **to call attention,** *attirer l'attention sur.*

10. **discrepancy.** *désaccord, contradiction,* **discrepant,** *contradictoire* d'où *anomalie.*

11. « au sujet de son père lui ayant fait un signal » ; tournure avec la forme en -ing ; traduction de **about** : *(sur l'anomalie) qu'il y a dans le fait que...*

— Non, j'avais le sentiment qu'il y avait quelque chose.

— A quelle distance du corps ?

— A une dizaine de mètres environ.

— Et à quelle distance de la lisière du bois ?

— La même distance environ.

— Donc on a enlevé cet objet pendant que vous en étiez à une dizaine de mètres ?

— Oui, mais je lui tournais le dos ».

Cela terminait l'interrogatoire du témoin.

« je vois, fis-je en parcourant la colonne du regard, que le Coroner s'est montré plutôt sévère contre le jeune homme dans ses conclusions. Avec raison il attire l'attention sur l'anomalie qu'il y a dans le fait que son père l'aurait appelé avant de l'avoir vu, sur son refus de donner les détails de sa conversation avec son père et sur l'étrangeté des dernières paroles qu'il prête à son père mourant. Tous ces éléments, comme il en fait la remarque, sont bien en défaveur du jeune homme ».

Holmes rit doucement comme pour lui-même, et s'étendit sur la banquette rembourrée. « Le Coroner tout comme vous, vous vous donnez beaucoup de mal, dit-il, pour faire ressortir les points qui sont en fait les plus en faveur du jeune homme.

---

12. participe présent rendu par *avoir vu*, usage courant en anglais : **after meeting him, I went to...**, *après l'avoir rencontré, je suis allé à...*

13. « son rapport singulier des paroles mourantes de son père ».

14. pronoms **it** et **they** rendus respectivement par *objet* et *éléments*.

15. expresssion **to himself,** *à soi-même, pour soi-même* : **keep it to yourself,** *gardez cela pour vous, n'en parlez à personne.*

16. ⚠ emploi de la forme **to have** + participe passé pour indiquer que l'action commencée dans le passé dure encore ; notez l'emploi du présent en anglais.

17. ⚠ emploi d'un adj. comme v. : **single,** *seul, unique, simple, célibataire,* d'où, avec postp. **out,** tirer d'un ensemble les éléments uniques que l'on veut sélectionner.

Don't you see [1] that you alternately give him credit for having [2] too much [3] imagination and too little ? Too little, if he could no invent a cause of quarrel which would give him the sympathy [4] of the jury ; too much, if he evolved from his own inner consciousness [5] anything so outré as a dying reference to a rat, and the incident of the vanishing cloth. No, sir, I shall approach [6] this case from the point of view that what this young man says is true, and we shall see whither [7] that hypothesis will lead us. And now here is my pocket Petrarch, and not another word shall I say of this case until we are on the scene of action. We lunch at Swindon, and I see that we shall be there in twenty minutes."

It was nearly four o'clock when we at last, after passing through the beautiful Stroud Valley and over [8] the broad gleaming Severn, found ourselves at the pretty little country town of Ross. A lean, ferret-like [9] man, furtive and sly-looking, [10], was waiting for us upon the platform. In spite of the light brown dust-coat and leather leggings which he wore in deference to his rustic surroundings, I had no difficulty in [11] recognizing Lestrade, of Scotland Yard. With him we drove [12] to the "Hereford Arms," where a room had already been engaged for us.

"I have ordered [13] a carriage", said Lestrade, as we sat over a cup of tea [14].

---

1 . forme négative de l'impératif.

2 . expression to give somebody credit for (something) doing something, *accorder du crédit à quelqu'un pour (quelque chose) avoir fait quelque chose*, d'où, *attribuer à quelqu'un.*

3 . **too**, *trop* devant un nom doit être suivi de **much** ou de little.

4 . **sympathy.** *sympathie, condoléances,* **all my sympathy,** *toutes mes condoléances,* **sympathetic,** *montrant de la compassion.*

5 . « s'il élaborait de sa propre conscience profonde ».

6 . ▲ **approach.** *approche, manière d'aborder, démarche.*

7 . where, *où,* **whither,** *où* (idée de mouvement), here, hither, there, thither ; to walk hither and thither, *aller de long en large,* hitherto, *jusqu'ici, jusqu'à présent.*

44

Ne croyez-vous pas que vous lui attribuez tour à tour trop ou trop peu d'imagination ? Trop peu s'il est incapable d'inventer un sujet de dispute qui lui gagnerait la sympathie du jury ; trop, s'il a consciemment élaboré quelque chose d'aussi outré que cette allusion faite par un mourant à un rat et la disparition d'un morceau de tissu gris. Non, Monsieur, j'aborderai cette affaire en considérant que ce jeune homme dit la vérité et nous verrons où nous mènera cette hypothèse. Et maintenant voici mon édition de poche de Pétrarque et je ne prononcerai plus un mot sur cette affaire avant que nous soyons sur les lieux du drame. Nous déjeunons à Swindon et je vois que nous y serons dans vingt minutes. »

Il était près de quatre heures quand enfin, après avoir traversé la belle vallée du Stroud et enjambé la Severn large et étincelante, nous nous trouvâmes dans la jolie petite ville provinciale de Ross. Un homme maigre, à tête de furet, l'air furtif et rusé, nous attendait sur le quai. En dépit de son léger cache-poussière brun et de ses guêtres en cuir qu'il portait par déférence pour son environnement campagnard, je n'eus aucune difficulté à reconnaître Lestrade, de Scotland Yard. Nous nous rendîmes avec lui aux *Armes de Hereford* où une chambre avait déjà été retenue pour nous.

— J'ai loué une voiture, dit Lestrade, tandis que nous étions assis devant une tasse de thé.

---

8 . « passé par-dessus, d'où, enjambé. »
9 . « ressemblant à un furet » ; **he is always gentlemanlike,** *il se conduit toujours en gentleman.*
10. ▲ adj. composé ; **good-looking,** *de belle apparence.*
11. emploi de la prép. **in. I had no difficulty in** + **forme ing.**
12. **to drive, I drove, driven,** *aller en voiture.*
13. ▲ **to order,** *commander,* d'où *louer.*
14. « tandis que nous étions assis au-dessus d'une tasse de thé ».

"I knew [1] your energetic nature, and that you would not be happy until you had been on the scene of the crime."

"It was very nice and complimentary [2] of you," Holmes answered. "It is entirely a question of barometric pressure."

Lestrade looked startled.

"I do not quite follow", he said.

"How is the glass [3] ? Twenty-nine, I see. No wind, and not a cloud in the sky. I have a caseful [4] of cigarettes here [5] which need smoking, and the sofa is very much superior to the usual country hotel abomination. I do not think that it is probable that I shall use the carriage to-night."

Lestrade laughed indulgently.

"You have, no doubt, already formed your conclusions from the newspapers," he said. "The case is as plain as a pikestaff [6], and the more one goes into it the plainer [7] it becomes. Still, of course, one [8] can't refuse [9] a lady, and such a very positive [10] one, too. She had heard of [11] you, and would [12] have your opinion, though I repeatedly [13] told her that there was nothing which you could do which I had not already done."

---

1. le v. **I knew** est suivi de deux constructions ; la première est formée d'un groupe nominal, la seconde proposition est introduite par **that**, d'où, l'emploi de deux verbes en français.

2. **complimentary ticket**, *billet de faveur*.

3. **weather glass**, *baromètre*, souvent abrégé, d'où **glass**.

4. ⚠ nom composé avec suffixe -ful ; a **handful**, *une poignée*, a **spoonful**, *une cuillerée*, a **cigarette-case**, *un étui à cigarettes*, d'où, a **caseful**, *un étui plein*.

5. **here** est le plus souvent rendu par *là*.

6. expression **it is as plain as a pikestaff**, as the nose in the face, *c'est clair comme le jour* : pikestaff, *manche, hampe d'une pique*.

Connaissant votre nature énergique, je savais que vous ne seriez pas heureux avant d'être allé sur le lieu du crime.

— C'est très aimable et très flatteur de votre part, répondit Holmes, c'est entièrement une question de pression atmosphérique.

Lestrade parut surpris.
— Je ne suis pas très bien, dit-il.
— Que dit le baromètre ? Vingt-neuf, je vois. Pas de vent, et pas un nuage dans le ciel. J'ai là un étui plein de cigarettes qui ne demandent qu'à être fumées et ce canapé est bien supérieur aux horreurs habituelles des hôtels de province. Je pense qu'il est peu probable que j'utilise la voiture ce soir.

Lestrade rit avec indulgence.
— Vous avez déjà, sans doute, tiré vos conclusions de la lecture des journaux, dit-il. L'affaire est aussi claire que le jour et plus on l'étudie, plus elle devient simple. Cependant, et c'est naturel, on ne peut refuser son aide à une dame et surtout à une dame aussi résolue. Elle a entendu parler de vous et veut connaître votre opinion bien que je lui aie dit maintes fois qu'il n'y a rien que vous puissiez faire que je n'aie déjà entrepris.

---

7 . tournure **the more... the plainer.** the more, the merrier, *plus on est de fous, plus on rit.* « plus on est nombreux, plus on est heureux ».
8 . ∆ traduction de *on* par **one.**
9 . v. **to refuse.** *refuser, repousser,* d'où *refuser son aide à...*
10. ∆ **positive.** *sûr, certain,* I am positive about it, *j'en suis certain,* she is a very positive person, *elle est sûre d'elle, elle sait ce qu'elle veut.*
11. ∆ **to hear of somebody.** *entendre parler de quelqu'un,* to hear from somebody, *avoir des nouvelles de quelqu'un.*
12. **would** sens de *vouloir* ici.
13. « de manière répétée ».

Why [1], bless my soul [2] ! here is [3] her carriage at the door. »

He had hardly [4] spoken before there [5] rushed [6] into the room one of the most lovely young women that I have ever seen in my life. Her violet eyes shining, her lips parted, a pink flush [7] upon her cheeks, all thought of her natural reserve lost in her overpowering excitement and concern [8].

"Oh, Mr Sherlock Holmes !" she cried, glancing from one to the other of us, and finally, with a woman's quick intuition, fastening upon my companion [9], "I am so glad that you have come. I have driven down to tell you so [10]. I know that James didn't do it. I know it, and I want you to start [11] upon your work knowing it, too. Never let yourself doubt [12] upon that point. We have known [13] each other since we were little children, and I know his faults as no one else does ; but he is too tender-hearted [14] to hurt a fly. Such a charge is absurd to anyone who really knows him."

"I hope we may clear [15] him, Miss Turner", said Sherlock Holmes. "You may rely upon [16] my doing all that I can."

---

1 . ▲ **why** peut être employé comme interjection avec un sens de surprise, d'où, les traductions de *Tiens ! Comment ! Mais !*

2 . « que (Dieu, sous-entendu) bénisse mon âme ! ».

3 . *Voici* **here is** + sing., **here are** + pl.

4 . tournure : *il venait à peine de (faire) que...,* he had hardly (done) before (when) ; *il venait à peine de finir que la lumière s'éteignit,* he had hardly finished when the light went out.

5 . tournure **there** + v. + sujet réel ; forme d'insistance pour souligner le mouvement d'un sujet sur lequel on attire l'attention : *je perds mon meilleur ami,* **there goes my best friend.**

6 . v. **to rush,** *se précipiter,* d'où, **rush-hours,** *les heures de pointe.*

7 . « un éclat rose sur ses joues. »

8 . « toute pensée de sa réserve naturelle perdue dans sa surexcitation et son inquiétude qui la dépassaient ».

9 . « fixant (son regard) finalement avec la rapide intuition propre aux femmes sur mon compagnon » ; **fast,** *rapide,*

Mais, pardieu ! voici sa voiture devant notre porte.

Il venait à peine de parler que se précipita dans la pièce l'une des plus charmantes femmes que j'aie jamais vue de ma vie. Ses yeux violets tout brillants, ses lèvres entrouvertes, une roseur irisant ses joues, la passion et l'inquiétude qui la submergeaient lui avaient fait perdre toute sa réserve habituelle.

— Oh ! Monsieur Sherlock Holmes ! s'écria-t-elle, jetant un regard rapide sur chacun d'entre nous pour le poser finalement, grâce à la rapidité de son intuition féminine, sur mon compagnon. Comme je suis heureuse que vous soyez venu. J'ai pris la voiture pour vous exprimer ma joie. Je sais que James est innocent. Je le sais et je veux que vous commenciez votre enquête en le sachant aussi. Ne vous laissez jamais aller à en douter. Nous nous connaissons depuis notre plus tendre enfance et je connais ses défauts comme personne d'autre ; mais il a le cœur si tendre qu'il ne ferait pas de mal à une mouche.

— J'espère que nous pourrons le disculper, miss Turner, dit Sherlock Holmes. Vous pouvez compter sur moi pour faire tout ce que je pourrai.

---

mais aussi *solide, bien attaché,* d'où **to fasten,** *attachez vos ceintures,* **fasten your seat-belts.**

10. « pour vous le dire ».

11. ⚠ proposition infinitive après les v. exprimant souhait, désir : *je veux qu'ils travaillent,* **I want them to work** — le sujet pronom est à la forme complément et suivi de l'infinitif complet.

12. « à douter sur ce point » ; ⚠ prononciation de **doubt** (daut), **debt** (det) **receipt** (ri'siːt).

13. temps présent en français.

14. adj. composé adj. + nom + **-ed.** : *nu-tête,* **bare-headed,** *nu-pieds,* **bare-footed.**

15. adj. **clear,** *clair,* à rapprocher du français, *tout est clair* (sur un bateau avant le départ), **all is clear** c'est-à-dire *tout est en ordre,* d'où v. **to clear,** *ranger, mettre en ordre,* ici *innocenter,* **to clear goods,** *dédouaner des marchandises,* **to clear the table,** *débarrasser la table* (après le repas).

16. préposition dans **to rely upon (on) somebody,** *compter sur quelqu'un,* d'où **a reliable person,** *une personne sûre.*

"But you have read the evidence. You have formed some conclusion ? Do you not see some loophole [1], some flaw ? Do you not yourself think that he is innocent ?"

"I think that it is very probable."

"There now [2] !" she cried, throwing back her head and looking defiantly [3] at Lestrade. "You hear ! He gives me hope."

Lestrade shrugged his shoulders [4].

"I am afraid that my colleague has been a little quick in [5] forming his conclusions," he said.

"But he is right [6]. Oh ! I know that he is right. James never did it [7]. And about his quarrel with his father, I am sure that the reason why [8] he would [9] not speak about it to the coroner was because I was concerned in it [10]."

"In what way ?" asked Holmes.

"It is no time for me to hide anything [11]. James and his father had many disagreements about me. McCarthy was very anxious [12] that there should be a mariage between us. James and I have always loved each other as brother and sister, but of course he is young and has seen very little of life yet [13], and-and-well, he naturally did not wish to do anything like that yet. So there were quarrels and this, I am sure, was one of them [14]."

"And your father ?" asked Holmes. "Was he in favour of such a [15] union ?"

"No, he was averse to it [16] also. No one but [17] Mr McCarthy was in favour of it."

---

1. **loophole,** *meurtrière, trou,* d'où, *moyens de contourner une loi.*

2. interjection **there now !** *vous voyez bien ! tenez !*

3. v. to **defy,** *défier,* adj. **defiant,** adv. **defiantly.**

4. **to shrug one's shoulders,** *hausser les épaules.*

5. expression **to be quick in** + forme en **-ing,** *être rapide à* + verbe, *être rapide à comprendre,* **to be quick in the uptake,** *être lent à comprendre,* **to be slow in the uptake.**

6. **to be right,** *avoir raison,* **to be wrong,** *avoir tort.*

7. emploi du pronom **it** rendu par un substantif en français.

8. on pourrait avoir the **reason for which...**

9. sens de *vouloir* du v. **would.**

10. « parce que j'étais concernée par cela » ; notez la préposition **in.**

50

— Mais vous avez lu les témoignages. Vous vous êtes fait une opinion ? N'apercevez-vous pas une issue quelconque, une faille ? Ne pensez-vous pas vous-même qu'il est innocent ?

— Je pense que c'est très probable.

— Eh bien ! s'exclama-t-elle en rejetant la tête en arrière et en regardant Lestrade d'un air de défi. Vous entendez ! Il me donne de l'espoir !

Lestrade haussa les épaules.

— Je crains que mon collègue n'ait été un peu trop hâtif à tirer ses conclusions, dit-il.

— Mais il a raison. Oh, je sais qu'il a raison. James n'a jamais commis cette action. Et pour ce qui est de la dispute avec son père, je suis certaine que la raison pour laquelle il n'a pas voulu en parler au Coroner réside dans le fait que j'en suis la cause.

— De quelle manière ? demanda Holmes.

— Ce n'est pas le moment que je vous cache quelque chose. James et son père avaient de nombreux désaccords à mon sujet. M. McCarthy était très désireux qu'il y ait un mariage entre nous. James et moi, nous nous sommes toujours aimés comme frère et sœur, mais il est jeune et connaît peu de la vie encore et... et... bien, il ne voulait pas se marier si vite, alors, il y avait des querelles, et je suis certaine que c'était le cas cette fois-ci.

— Et votre père ? demanda Holmes. Était-il favorable à cette union ?

— Non, il était contre, aussi. Personne, à l'exception de M. McCarthy, n'y était favorable.

---

11. emploi de **anything** avec sens de *quoi que ce soit*.

12. adj. **anxious,** *anxieux, très inquiet* mais aussi *fort désireux, impatient* (de faire quelque chose).

13. « naturellement il ne souhaitait pas faire déjà quelque chose comme cela ».

14. « et cela, je suis certaine, était l'une d'elles ».

15. place de l'article **a** après **such.**

16. expression **to be averse to something,** *être opposé à quelque chose.*

17. **but** avec le sens de *à l'exception de, sauf ;* **I know everybody but this person,** *je connaissais tout le monde sauf cette personne.*

A quick blush [1] passed over her fresh young face as Holmes shot [2] one of his keen [3], questioning [4] glances [5] at her.

"Thank you for this information [6]," said he. "May I see your father if I call [7] tomorrow ?"

"I am afraid the doctor won't allow it."

"The doctor ?"

"Yes, have you not heard [8] ? Poor father [9] has never been strong for years back [10], but this has broken him down completely. He has taken to his bed, and Dr Willows [11] says that he is a wreck [12], and that his nervous system is shattered [13]. Mr McCarthy was the only man alive who had known dad in the old days in Victoria [14]."

"Ha ! In Victoria ! That is important."

"Yes, at the mines."

"Quite so ; at the gold mines, where, as I understand, Mr Turner made his money."

"Yes, certainly."

"Thank you, Miss Turner. You have been of material [15] assistance to me."

"You will tell me if you have any news tomorrow."

"No doubt you will go to the prison to see James. Oh, if you do, Mr Holmes, do [16] tell him that I know him to be innocent [17]."

"I will, Miss Turner."

---

1 . v. to blush, *rougir* (de confusion, par timidité).

2 . v. to shoot, **I shot**, shot, *lancer* (rapidement), d'où, *tirer* (fusil).

3 . adj. keen, *vif, acéré*, d'où, *pénétrant* et aussi *intéressé* dans expression **to be keen on something**, *être intéressé vivement par quelque chose*.

4 . v. to question, *contester, interroger* d'où **questioning**, *inquisiteur*.

5 . v. **to glance at**, *jeter un coup d'œil rapide* d'où **glance**, *regard rapide*.

6 . **information** toujours au sing. avec le sens de *renseignements*.

7 . v. **to call (on somebody)** *rendre visite à quelqu'un*.

8 . « n'avez-vous pas entendu ? »

9 . absence de pronom devant appellation familière.

10. « n'a jamais été solide depuis des années » ; emploi de **back** après **years** qui renforce l'idée de durée.

52

Une rougeur rapide passa sur son jeune visage frais, tandis que Holmes lui lançait l'un de ses regards rapides, inquisiteurs et pénétrants.

— Merci de cette information, dit-il. Puis-je voir votre père si je me présente chez lui demain ?

— Je crois que le docteur ne le permettra pas.

— Le docteur ?

— Oui, n'avez-vous rien appris ? Depuis des années mon pauvre père est très faible, mais cela l'a complètement brisé. Il s'est alité et le Docteur Willows dit qu'il est prostré et que ses nerfs ont lâché. M. McCarthy était le seul homme encore en vie qui ait connu père autrefois au Victoria

— Ah ! Au Victoria ! C'est important.

— Oui, aux mines.

— Très juste, les mines d'or où, comme je le comprends, M. Turner avait fait fortune.

— Oui, certainement.

— Merci, Miss Turner. Vous avez été d'une grande aide pour moi.

— Vous me direz si vous avez des nouvelles demain.

— Vous irez sans doute voir James à la prison. Oh ! Si vous y allez, Monsieur Holmes, dites-lui bien que je suis convaincue de son innocence.

— Je n'y manquerai pas, Miss Turner.

---

11. absence d'article devant titres.
12. **a wreck,** une *épave.*
13. « son système nerveux est brisé » ; **the pane was shattered,** *la vitre vola en éclats.*
14. « qui avait connu papa autrefois au Victoria » : il s'agit d'une des régions les plus peuplées d'Australie.
15. adj. **material,** *matériel, substantiel,* d'où, *important.*
16. forme d'insistance de l'impératif rendu par *Dites-lui bien !* **Do sit down !,** *asseyez-vous donc !*
17. proposition infinitive après **to know** ; « je le connais pour être innocent », la traduction littérale « je sais qu'il est innocent » serait ambiguë en français ; Miss Turner ne sait pas qu'il est innocent, elle le croit incapable d'avoir commis un meurtre.

"I must go home now, for dad is very ill, and he misses me [1] so if I leave him. Good-bye, and God help you [2] in your undertaking [3]." She hurried from the room as impulsively as she had entered [4], and we heard the wheels of her carriage rattle [5] off down the street.

"I am ashamed of you [6], Holmes," said Lestrade with dignity, after a few minutes' silence [7]. "Why should you raise up hopes [8] which you are [9] bound [10] to disappoint [11]? I am not over-tender [12] of heart, but I call it cruel [13]."

"I think that I see my way to [14] clearing James McCarthy," said Holmes. "Have you an order to see him in prison?"

"Yes, but only for you and me."

"Then I shall reconsider my resolution about going out [15]. We have still time to take a train to Hereford and see him to-night?"

"Ample [16]."

"Then let us do so.

Watson, I fear that you will find it very slow [17], but I shall only be away a couple of hours."

I walked [18] down to the station with them, and then wandered [19] through the streets of the little town, finally returning to the hotel, where I lay upon the sofa and tried to interest myself in a yellow-backed novel [20].

---

1. to miss a train, *manquer un train.*
2. tournure au subjonctif (Let) **God help you,** God save the Queen, *que Dieu sauve la Reine.*
3. « votre entreprise ».
4. « elle se précipita hors de la pièce aussi impulsivement qu'elle (y) était entrée ».
5. v. **to rattle,** *faire un bruit métallique, ferrailler.*
6. expression **to be ashamed of something,** *avoir honte de quelque chose,* substantif **shame,** *honte,* **shame on you !** *honte à vous !*
7. emploi du cas possessif avec unité de temps : *un entretien de deux heures,* **a two hours' talk.**
8. expression **to raise (up) hopes,** *susciter des espoirs.*
9. présent anglais rendu par futur en français.
10. v. to bind, **bound,** bound, *lier, obliger.*
11. ▲ **to disappoint,** *décevoir ;* to deceive, *tromper.*

— Je dois rentrer maintenant, car père est très malade, et je lui manque tellement lorsque je le laisse. Au revoir, et que Dieu vous aide dans vos recherches. — Elle sortit précipitamment de la pièce avec autant d'impétuosité que lorsqu'elle y était entrée, puis nous entendîmes s'éloigner les roues de sa voiture dans la rue.

— J'ai honte de vous, Holmes, fit Lestrade avec dignité après quelques minutes de silence. Pourquoi suscitez-vous des espoirs que vous serez obligé de décevoir ? Je n'ai pas un cœur trop tendre, mais j'appelle cela de la cruauté.

— Je pense que je vois le moyen de disculper James McCarthy, fit Holmes. Avez-vous un permis pour le voir en prison ?

— Oui, mais seulement pour vous et moi.

— Alors je vais revenir sur ma résolution de ne pas sortir. Nous avons encore le temps de prendre le train jusqu'à Hereford pour le voir ?

— Largement.

— Bien, allons-y !

Watson, je crains que vous ne trouviez le temps très long, mais je ne serai parti que quelques heures.

Je les accompagnai jusqu'à la gare et parcourus ensuite les rues de la petite ville pour revenir finalement à l'hôtel où je m'étendis sur le sofa et tentai de m'intéresser à un roman bon marché.

---

12. emploi préfixe **over** *devant* adj. à rapprocher de **hyper.**
13. « j'appelle cela cruel, d'où, cruauté ».
14. « je vois mon chemin vers... ».
15. on se souvient que Holmes avait décidé de ne pas sortir.
16. **we have ample time to do it,** *nous avons amplement le temps de le faire.*
17. « je crains que vous ne trouviez cela très lent ».
18. emploi du verbe précis en anglais, ici, **I walked ;** précédemment, lorsque les personnages se déplaçaient en voiture, on a utilisé le v. **to drive.**
19. **to wander,** *aller sans but, errer.*
20. « roman au dos jaune » ; adj. composé : adj. + n. + -ed. on dirait, maintenant, **a cheap novel.** ▲ *nouvelle,* **short story.**

The puny [1] plot of the story was so thin, however, when compared to the deep mystery through which we were groping, and I found my attention wander so constantly from the fiction to the fact, that I at last flung [2] it across the room, and gave myself up entirely to a consideration of the events of the day. Supposing that this unhappy young man's story was absolutely true, then what hellish thing [3], what absolutely unforeseen and extraordinary calamity, could have occurred [4] between the time when he parted from [5] his father and the moment when, drawn back by his screams, he rushed into the glade ? It was something terrible and deadly. What could it be ? Might not the nature of the injuries reveal something to my medical instincts ? I rang the bell, and called for [6] the weekly county paper, which contained a verbatim [7] account of the inquest. In the surgeon's deposition it was stated that the posterior third of the left parietal bone and the left half of the occipital bone had been shattered by a heavy blow from a blunt weapon [8].

I marked [9] the spot upon my own head. Clearly such a [10] blow must have been struck from [11] behind. That was to some extent in favour of the accused, as when seen [12] quarrelling he was face to face with his father. Still [13], it did not go for very much [14], for the older [15] man might have turned [16] his back before the blow fell.

---

1 . adj. **puny** ('pjuni), *chétif, malingre,* vient du français *puîné.*

2 . to throw, I threw, thrown, *jeter ;* to fling, **I flung,** flung, *jeter avec violence,* « *balancer* » *;* to cast, I cast, cast, *jeter* (geste large) (filet) ; to hurl, *jeter avec force ;* to sling, slung, slung, *lancer, jeter ;* a sling, *une fronde.*

3 . « quelle chose infernale ».

4 . construction du passé avec **I could,** rendu par l'infinitif en anglais.

5 . v. **to part,** *quitter ;* noter l'emploi de la prép. **from.**

6 . **to call for,** *demander qu'on apporte, qu'on fasse venir,* **you should call for the doctor,** *vous devriez appeler le médecin.*

7 . « mot à mot, littéralement, littéral ».

8 . « avec une arme non tranchante ».

9 . prononciation (ma:kt) la terminaison en *-ed* ne se prononce (id) qu'après un t ou un d : **added,** ('ædid),

Cependant l'intrigue frêle de l'histoire était si mince, comparée au profond mystère à travers lequel nous tâtonnions, et je m'aperçus que mon attention passait d'une manière tellement constante de la fiction aux faits, que je finis par lancer le livre à travers la pièce et m'abandonnai entièrement à la réflexion sur les événements de la journée. En supposant que le récit de ce malheureux jeune homme fût entièrement vrai, quelle horreur, quelle calamité absolument imprévue et extraordinaire avait bien pu se passer entre le moment où il avait quitté son père et l'instant où, rappelé par les cris de ce dernier, il se précipita dans la clairière ? Quelque chose de terrible et de mortel ? Quoi, en fait ? La nature des blessures ne pouvait-elle pas révéler quelque chose à mon instinct de médecin ? Je sonnai et demandai l'hebdomadaire du comté qui contenait un rapport fidèle de l'enquête. Selon le chirurgien, il était écrit que le tiers postérieur du pariétal gauche et la moitié gauche de l'occipital avaient été fracassés par un coup violent, dû à un objet contondant.

Je repérai l'endroit sur ma propre tête. De toute évidence un tel coup avait dû être asséné par-derrière. C'était dans une certaine mesure un fait en faveur de l'accusé, puisque, lorsqu'on l'avait vu se quereller avec son père, il lui faisait face. Pourtant, cela n'apportait pas grand'chose, car le vieil homme avait pu lui tourner le dos avant que le coup ne fût porté.

---

started, (stɑːtid) ; exception : wicked ('wikid), *pervers, méchant,* naked ('neikid), *nu,* learned ('ləːnid), *savant, érudit.*
10. place de l'article indéfini après such.
11. emploi de la préposition from, *(à partir) de,* plus précise que le français, *par.*
12. tournure passive incomplète ; « puisque, lorsque, vu ».
13. ⚠ still, en début de phrase, a le sens de *cependant ;* ne pas confondre avec I have still a lot of work to do, *j'ai encore beaucoup à faire.*
14. « cela n'allait (n'avançait) pas pour beaucoup ».
15. emploi idiomatique du comparatif, le père est bien sûr plus âgé que le fils.
16. emploi d'un infinitif passé (to have + participe passé) pour pallier l'absence de cette forme (participe passé) avec les verbes I must, I might, etc.

Still, it might be worth while [1] to call Holmes's attention to it. Then there was the peculiar [2] dying reference to a rat. What could that mean ? It could not be delirium. A man dying from a sudden blow does not commonly become delirious [3]. No, it was more likely to be an attempt to explain how he met his fate [4]. But what could it indicate ? I cudgelled [5] my brains to find some possible explanation. And then the incident of the grey cloth [6], seen by young McCarthy [7]. If that were true, the murderer must have dropped some part of his dress, presumably his overcoat, in his flight [8], and must have had the hardihood [9] to return and carry it away at the instant when the son was kneeling with his back turned not a dozen paces off. What a tissue of mysteries and improbabilities the whole thing was ! I did not wonder at Lestrade's opinion, and yet I had so much faith in Sherlock Holmes's insight that I could not lose hope as long as every fresh fact seemed to strengthen his conviction of young McCarthy's innocence.

It was late before Sherlock Holmes returned [10]. He came back alone, for Lestrade was staying in lodgings [11] in the town.

"The glass [12] still keeps very high," he remarked, as he sat down. "It is of importance [13] that it should [14] not rain before we are able to go over [15] the ground.

---

1 . « il pourrait être valable de »...

2 . ▲ **peculiar,** *particulier, spécial, étrange.* ▲ **particular about one's food,** *difficile en matière de nourriture ;* substantif pluriel : **particulars, send me all the particulars,** *adressez-moi tous les détails.*

3 . « ne devient pas habituellement délirant ».

4 . « comment il avait rencontré son destin ».

5 . **to cudgel,** *frapper à coups de gourdin,* d'où, **to cudgel one's brains,** *se creuser la tête.*

6 . ▲ prononciation **cloth,** [klɔθ], mais **clothes** *vêtement,* [klouðz].

7 . ▲ absence d'article défini devant les titres ou appellations familières : **old Bob,** *le vieux Bob.*

8 . « dans sa fuite ».

Toutefois cela vaudrait peut-être la peine d'attirer l'attention de Holmes sur ce fait. Puis il y avait cette référence particulière du mourant à un rat. Que pouvait signifier cela ? Ce ne pouvait être du délire. Un homme qui meurt d'un coup brutal habituellement ne délire pas. Non, il était plus probable qu'il s'agissait d'un effort pour expliquer ce qui lui était arrivé. Mais que cela pouvait-il indiquer ? Je me creusai les méninges pour trouver une explication possible. Il y avait aussi l'incident de cette étoffe grise qu'avait vue le jeune McCarthy. Si c'était vrai, l'assassin avait dû perdre un vêtement, probablement son manteau, en se sauvant et avait dû avoir la hardiesse de revenir le chercher au moment où le fils, à genoux, lui tournait le dos à moins de dix pas. Quel tissu de mystères et d'invraisemblances était toute cette affaire ! Je n'étais pas surpris du jugement de Lestrade et pourtant j'avais tant de foi en la perspicacité de Sherlock Holmes que je ne pouvais perdre espoir, tant que chaque nouveau fait paraissait renforcer sa conviction concernant l'innocence du jeune McCarthy.

Il était tard lorsque Sherlock Holmes revint. Il arriva seul, car Lestrade avait un logement en ville.

— Le baromètre est encore au beau, remarqua-t-il en s'asseyant. Il est important qu'il ne pleuve pas avant que nous soyons en mesure d'examiner les lieux.

---

9. suffixe **hood,** pour former nom abstrait : **child, childhood.**
10. « avant que Sherlock Holmes revînt ».
11. pluriel **lodgings,** *logement,* **he was looking for lodgings,** *il cherchait une chambre* ▲ **accommodation,** *logement, chambre* (GB), **they had no accommodations** (pluriel, US), *ils n'avaient pas de chambres.*
12. ▲ **glass,** *verre* (matière et objet), d'où, *miroir,* et ici, *baromètre.*
13. tournure soutenue **it is of importance.**
14. emploi de **should** après tournure exprimant un jugement ou une opinion.
15. ▲ sens de **to go over,** *examiner, vérifier :* **he went over the report,** *il examina le rapport.*

On the other hand, a man should be at his very best and keenest for such nice work as that [1], and I did not wish to do it when fagged by a long journey [2]. I have seen young McCarthy."

"And what did you learn from him ?"

"Nothing."

"Could he throw no light ?"

"None at all. I was inclined to think at one time that he knew who had done it [3], and was screening [4] him or her, but I am convinced now that he is as puzzled as everyone else [5]. He is not a very quick-witted youth [6], though comely [7] to look at, and, I should [8] think, sound at heart."

"I cannot admire his taste," I remarked, "if it is indeed a fact that he was averse to a marriage with so charming a young lady as this Miss Turner."

"Ah, thereby hangs a rather painful tale [9]. This fellow is madly, insanely in love with her, but some two years ago, when he was only a lad, and before he really knew her, for she had been away five years at a boarding-school, what does the idiot do but get into the clutches [10] of a barmaid in Bristol, and marry her at a registry office [11] !

No one knows a word of the matter, but you can imagine how maddening [12] it must be to him to be upbraided [13] for not doing what he would give his very eyes to do [14], but what he knows to be absolutely impossible. It was sheer frenzy of this sort which made

---

1. « un homme devrait être à son mieux et avoir l'esprit le plus vif pour un travail aussi délicat qe celui-là » ; **keen,** aiguisé, tranchant, d'où, vif ; **nice,** délicat, **nice task,** tâche délicate.

2. « lorsque éreinté après un long voyage ».

3. emploi de **it** rendu par : le meurtre.

4. **to screen,** protéger avec un écran.

5. emploi et place de **else** : who else ? qui d'autre ? where else ? où ailleurs ? nobody else, personne d'autre.

6. adjectif composé **quick,** vif ; wit, esprit, d'où **quick-witted,** à rapprocher de **blue-eyed** ; ici doublement de la consonne.

7. « bien qu'agréable à regarder » ; **comely,** beau, gracieux.

D'un autre côté, on doit être au mieux de sa forme pour traiter une affaire aussi délicate et je ne veux pas le faire en étant épuisé après un long voyage. J'ai vu le jeune McCarthy.

— Et que vous a-t-il appris ?

— Rien.

— N'a-t-il pu jeter aucune lumière ?

— Absolument aucune. Un moment j'ai été enclin à penser qu'il savait qui avait commis le meurtre, et qu'il protégeait le ou la coupable, mais je suis convaincu maintenant qu'il est aussi perdu que chacun. Ce n'est pas un jeune homme à l'esprit vif bien qu'il ait un physique agréable et, à mon sens, un bon fond.

— Je ne peux admirer son goût, remarquai-je, si c'est vraiment exact qu'il répugnait à se marier avec une jeune personne aussi charmante que cette Miss Turner.

— Ah ! C'est là que se tient une affaire assez pénible. Ce gaillard est follement, éperdument amoureux d'elle ; mais, il y a quelques années, quand il n'était qu'un adolescent et avant de la connaître vraiment, car elle avait passé cinq années dans une pension, que fait cet idiot, si ce n'est de tomber dans les griffes d'une servante de bar à Bristol et de l'épouser civilement !

Personne ne connaît un mot de cette affaire, mais vous pouvez imaginer combien ce doit être rageant pour lui de se voir reproché de ne pas faire ce pour quoi il donnerait la prunelle de ses yeux, mais qu'il sait être absolument impossible. C'est uniquement un délire de cette sorte qui

---

8 . **should** indiquant réticence du locuteur à porter un jugement péremptoire.

9 . tournure idiomatique **thereby hangs a tale,** *c'est tout une histoire.*

10. **clutch,** *étreinte, prise,* d'où, **to fall into somebody's clutches,** *tomber dans les griffes de quelqu'un ; embrayage,* **to let in/out the clutch,** *embrayer, débrayer.*

11. « bureau du registre (état civil) ».

12. construction du verbe à partir de l'adjectif **mad : to madden,** *rendre fou, faire rager.*

13. **to upbraid,** *remontrer,* **to chide, I chid, chidden (chided, chided),** *gronder ;* **to scold, -ed,** *gronder.*

14. « pour ne pas faire ce pour quoi il donnerait ses yeux mêmes afin de le faire ».

him throw his hands up into the air [1] when his father, at their last interview, was goading [2] him on to propose [3] to Miss Turner. On the other hand, he had no means of supporting himself [4], and his father, who was by all accounts [5] a very hard man, would have thrown him over [6] utterly [7] had he known [8] the truth. It was [9] with his barmaid wife that he had spent the last three days in Bristol, and his father did not know where he was. Mark that point. It is of importance. Good has come out of evil [10], however, for the barmaid, finding from the papers that he is in serious trouble, and likely to be hanged, has thrown him over utterly, and has written to him to say that she has a husband already in the Bermuda Dockyard [11], so that there is really no tie [12] between them. I think that that bit [13] of news has consoled young McCarthy for all that he has suffered."

"But if he is innocent, who has done it ?"

"Ah ! Who ? I would call your attention very particularly to two points [14] !

One is that the murdered man [15] had an [16] appointment with someone at the Pool, and that the someone could not have been [17] his son, for his son was away [18], and he did not know when he would return. The second is that the murdered man was heard [19] to cry 'Cooee !' before he knew that his son had returned. Those are the crucial points upon which the case depends [20].

---

1 . expression anglaise : « jeter les mains en l'air ».
2 . **to goad somebody on :** *pousser, inciter quelqu'un à...*
3 . **to propose,** *demander la main, demander en mariage.*
4 . ▲ **to support oneself,** *subvenir à ses besoins, à son existence ;* to shift, to fend for oneself, *se « débrouiller ».*
5 . « par tous les rapports, d'où, au dire de tous ».
6 . **to throw somebody over,** *abandonner, quitter, laisser tomber quelqu'un.*
7 . adj. **utter,** *complet, total, absolu.*
8 . ▲ construction, inversion verbe et sujet remplacent if.
9 . emploi du passé en anglais rendu par un présent.
10. *le bien, le mal,* **good, evil,** sans article.
11. **Bermuda Dockyard,** chantiers navals situés à Bristol.
12. ▲ **tie,** *lien,* d'où *cravate d'homme.* verbe **to tie,** *lier.*

le poussa à lever les bras au ciel lorsque son père, lors de leur dernière entrevue, le poussait à demander Miss Turner en mariage. D'un autre côté, il n'avait aucun moyen de subvenir à ses besoins et son père, qui était au dire de tous un homme très dur, l'aurait totalement abandonné s'il avait appris la vérité. C'est avec sa serveuse de femme qu'il avait passé les trois derniers jours à Bristol tandis que son père ignorait où il était. Notez bien ce point qui est important. Le bien est cependant venu du mal, car la serveuse, en apprenant par les journaux qu'il est dans de sérieux ennuis et prêt d'être pendu, l'a abandonné complètement et lui a écrit pour lui annoncer qu'elle a déjà un mari qui travaille aux chantiers navals Bermuda, si bien qu'il n'existe aucun lien entre eux. Je crois que cette nouvelle a consolé le jeune McCarthy de tout ce dont il a souffert.

— Mais s'il est innocent, qui a tué ?

— Ah ! Qui, en effet ? J'aimerais attirer tout particulièrement votre attention sur deux points.

L'un est que l'homme assassiné avait rendez-vous avec quelqu'un près de l'étang et que ce quelqu'un n'aurait pas pu être son fils, car celui-ci était absent et qu'il ne savait pas quand il rentrerait. Le second point est qu'on entendit le défunt appeler « Couhii ! » avant que celui-ci ne sût que son fils était de retour. L'affaire repose sur ces points cruciaux.

---

13. **a bit of,** *un morceau de, un peu de...*
14. △ **to call somebody's attention to something, to draw somebody's attention on something,** notez prépositions to et **on.**
15. **to murder,** *tuer, assassiner,* d'où, *l'homme assassiné,* et plus bas, *le défunt.*
16. △ emploi de l'article indéfini dans expression **to have an appointment with,** *avoir un rendez-vous avec....*
17. construction au passé avec **I can.**
18. **to be away,** *être parti,* d'où, *être absent.*
19. voix passive rendue par impersonnel *on...*
20. « ce sont les points cruciaux dont dépend l'affaire » ; emploi de la préposition **(up)on** après verbe **to depend.**

And now let us talk [1] about George Meredith, if you please, and we shall leave minor points until to-morrow."

There was no rain [2], as Holmes had foretold [3], and the morning broke [4] bright and cloudless. At nine o'clock Lestrade called for [5] us with the carriage, and we set off for Hatherley Farm and the Boscombe Pool.

"There is serious news this morning," Lestrade observed. "It is said [6] that Mr Turner, of the Hall, is so ill that his life is despaired of [7]."

"An elderly man, I presume ?" said Holmes.

"About sixty ; but his constitution has been shattered by his life abroad [8], and he has been [9] in failing health for some time. This business has had a very bad effect upon him. He was an old friend of McCarthy's [10], and, I may add, a great benefactor to him, for I have learned that he gave him Hatherley Farm rent free [11]."

"Indeed [12] ! That is interesting," said Holmes.

"Oh, yes ! In a hundred other ways he has helped him. Everybody about here speaks of his kindness to him."

---

1 . construction de l'impératif 1re personne au pluriel : **let us talk.**

2 . « il n'y avait pas de pluie ».

3 . **to foretell,** prédire, **to foresee,** prévoir, **to forecast,** prévoir (**weather forecast,** prévision météorologique).

4 . **to break,** s'ouvrir, débuter, ici, d'où, s'annoncer ; **at daybreak,** au lever du jour.

5 . **to call for somebody,** passer prendre (chercher) quelqu'un.

6 . tournure impersonnelle, rendue par on...

7 . « si malade qu'on désespère de sa vie ».

8 . « vie à l'étranger » — d'où, en Australie.

Maintenant parlons de George Meredith, si vous voulez bien, et nous laisserons jusqu'à demain certains points sans importance.

Il ne plut pas, comme l'avait prédit Holmes, et la matinée commença, lumineuse et sans nuage. À neuf heures, Lestrade vint nous chercher avec la voiture et nous partîmes pour la ferme Hatherley et l'étang de Boscombe.

— Il y a une nouvelle grave ce matin, annonça Lestrade. On dit que M. Turner, le propriétaire du Hall, est si malade qu'on craint pour sa vie.

— C'est un homme âgé, je présume ? dit Holmes.

— La soixantaine environ ; mais sa constitution a été ébranlée par sa vie passée en Australie et sa santé décline depuis un certain temps. Cette affaire a eu un très mauvais effet sur lui. C'était un vieil ami de McCarthy et, puis-je ajouter, un grand bienfaiteur pour ce dernier, car j'ai appris qu'il lui avait donné la ferme Hatherley sans lui demander de loyer.

— Vraiment ! C'est intéressant, dit Holmes.

— Oh ! Oui ! Il l'a aidé de cent autres façons. Tout le monde ici parle de sa bonté à son égard.

---

9 . ▲ emploi du *present perfect* pour indiquer une action qui a commencé dans le passé et qui dure encore, rendu par le présent.

10. tournure idiomatique : *c'est un ami de John,* **he is a friend of John's,** *c'est un de (mes) ses amis,* **he is a friend of (mine) his** ; le cas possessif est à mettre sur le même plan que les pronoms possessifs.

11. « libre de loyer », d'où, *sans loyer,* **tax free,** *sans taxe,* **toll free** (US) *téléphone gratuit* (service offert par certains services ou entreprises).

12. **Indeed,** *en vérité, vraiment.*

"Really ! Does it not strike [1] you as a little singular that this McCarthy, who appears to have had little of his own [2], and to have been under such obligations to Turner, should [3] still talk of marrying his son to Turner's daughter, who is, presumably, heiress [4] to the estate, and that in such a very cocksure manner [5], as if it was merely a case of a proposal [6] and all else would follow ? It is the more strange since [7] we know that Turner himself was averse to the idea. The daughter told us as much. Do you not deduce something from that ? [8]"

"We have got to the deductions and the inferences," said Lestrade, winking at [9] me. "I find it [10] hard enough to tackle [11] facts, Holmes, without flying away after theories and fancies [12]."

"You are right," said Holmes demurely [13] ; "you do [14] find it very hard to tackle the facts."

"Anyhow, I have grasped [15] one fact which you seem to find it difficult to get hold of [16]," replied Lestrade with some warmth.

"And that is ?"

---

1 . **to strike, I struck, struck,** *frapper* (sens concret et abstrait), ici, « cela ne vous frappe-t-il pas comme (étant) un peu singulier ».

2 . « *peu à lui propre* ». **own,** pronom après l'adjectif possessif.

3 . **should** employé pour subjonctif.

4 . **heiress** ('ɛəres) : noter l'absence de h à la prononciation **heir** (ɛər), *héritier,* **hour** (auə) *heure* (durée), **honour** ('ɔnə), *honneur.*

5 . « et cela d'une manière aussi arrogante ».

6 . **proposal,** *demande en mariage,* mais aussi *proposition.*

7 . tournure *d'autant plus... que* (all) **the** + comparatif... **since** (as), *c'est d'autant plus facile que...,* it is the easier since...

8 . △ **to get, I got, got,** *atteindre, arriver à,* parmi les nombreux sens.

— Réellement ! N'êtes-vous pas frappé par le fait un peu singulier que ce McCarthy, qui semble avoir possédé peu de biens propres et être si grandement obligé par Turner, parle toujours de marier son fils à la fille de Turner qui probablement est l'héritière de son domaine, et le fasse avec une assurance tellement arrogante, comme s'il s'agissait uniquement de demander sa main et que tout le reste devrait suivre naturellement. Cela est d'autant plus étrange que nous savons que Turner lui-même était contre ce projet. C'est sa fille qui nous l'a dit. N'en déduisez-vous rien ?

— Nous en sommes arrivés aux déductions et aux inférences ! dit Lestrade, en me lançant un clin d'œil. J'ai déjà assez de mal à m'attaquer aux faits, Holmes, sans me lancer dans des théories et des élucubrations.

— Vous avez raison, dit Holmes, en affectant d'être modeste ; vous avez effectivement du mal à vous attaquer aux faits.

— N'empêche que j'ai saisi un fait que vous semblez difficilement comprendre, répliqua Lestrade un peu vivement.

— Lequel donc ?

---

9 . ▲ préposition **at** après les verbes indiquant regard porté sur un objet ou une personne ; **to look at,** *regarder,* **to stare at,** *regarder fixement,* ici **to wink at,** *lancer un clin d'œil à.*

10. emploi du pronom **it** dans la tournure avec le verbe **to find.**

11. to **tackle a problem,** *s'attaquer à un problème.*

12. « se lancer à la recherche de théories et d'élucubrations ».

13. **demure** (di'mjuə) look, smile, *regard, sourire modeste, réservé ;* a **demure girl** *une jeune fille qui prend des airs de sainte nitouche.*

14. emploi de **do** pour accentuer le sens du verbe, d'où adverbe *effectivement.*

15. **to grasp,** *saisir* (sens concret et abstrait).

16. **to get hold of,** *s'emparer, (se) saisir.*

"That McCarthy, senior, met his death from McCarthy, junior [1], and that all theories to the contrary [2] are the merest moonshine [3]."

"Well, moonshine is a brighter thing than fog [4]," said Holmes, laughing. "But I am very much mistaken if this is not Hatherley Farm upon [5] the left."

"Yes, that is it."

It was a widespread [6], comfortable [7]-looking [8] building, two-storied [9], slate-roofed [10], with great yellow blotches [11] of lichen upon the grey walls. The drawn blinds [12] and the smokeless [13] chimneys, however, gave it a stricken [14] look, as though [15] the weight of this horror still lay heavy upon it. We called at the door, when the maid, at Holmes's request, showed us the boots which her master wore at the time of his death, and also a pair of the son's [16], though not the pair which he had then had. Having measured these very carefully from seven or eight different points, Holmes desired to be led to the courtyard, from which we all followed the winding track which led to Boscombe Pool.

Sherlock Holmes was transformed when he was hot upon such a scent as this [17]. Men who had only known [18] the quiet thinker and logician of Baker Street would have failed to recognize him.

---

1. « que McCarthy senior a rencontré sa mort donnée par McCarthy junior. »

2. tournure elliptique : *théories* (thèses) (allant) *à l'opposé.*

3. **moonshine** (moonlight, *clair de lune*), ici, « nonsense », *paroles vides de sens,* it is a lot of moonshine, *ce ne sont que billevesées.*

4. « le clair de lune est plus brillant que le brouillard. »

5. ∆ emploi préposition **(up)on** devant **the left,** *à droite,* **on the right.**

6. formation adjectif **wide,** *large* + **spread,** participe passé, *étendu,* d'où *large.*

7. ∆ orthographe : **comfort.**

8. adjectif + **-looking,** *d'aspect...,* to look, *sembler, paraître ;* it looks good, *ça a l'air bon.*

9. ∆ *étage,* storey, d'où de *deux étages,* **two-storied** (∆ orthographe) ; **floor,** *étage, niveau ; au premier étage,* **on the first floor** (GB), **on the second floor** (US) car, *rez-de-chaussée,* **ground floor** (GB), **first floor** (US).

10. « au toit (couvert) d'ardoise. »

— Le fait que McCarthy père a été tué par McCarthy fils, et que toutes les théories prouvant le contraire ne sont que des fariboles.

— Oui, mais les fariboles valent mieux parfois que des affirmations sans fondement, dit Holmes en riant. Mais si je ne m'abuse, voici la ferme Hatherley à notre gauche.

— Oui, en effet.

C'était une large et confortable bâtisse de deux étages, avec un toit d'ardoise et de grandes plaques de lichen jaune sur ses murs gris. Toutefois, ses volets fermés et ses cheminées sans fumée lui donnaient un air affligé, comme si le poids du drame horrible pesait encore sur elle. Nous nous présentâmes à la porte où la bonne, sur la demande de Holmes, nous montra les chaussures que son maître portait au moment de sa mort, ainsi qu'une paire de chaussures appartenant au fils, mais qui n'était pas celle qu'il portait lors du drame. Après les avoir mesurées avec un soin extrême en sept ou huit points, Holmes demanda à être conduit dans la cour, d'où nous suivîmes tous le chemin sinueux qui menait à l'étang de Boscombe.

Sherlock Holmes était un autre homme lorsqu'il suivait son gibier à la trace. Les gens qui ne connaissaient que le penseur et le logicien tranquille de Baker Street n'auraient pu le reconnaître.

---

11. **blotch,** *tache* (sur peau, encre, couleur), *bouton.*

12. ▲**blind.** adj. *aveugle,* ici substantif, *volet* **shutter,** *volet* (à la française).

13. suffixe privatif - **less.** *sans le sou,* **penniless.**

14. **stricken,** participe passé employé comme adjectif, *frappé, affligé* ; **panic-stricken,** *frappé de panique.*

15. ▲ conjonction de coordination **as though.** *comme si.*

16. « une paire du fils. » ▲ emploi de la forme *'s.*

17. « était transformé », d'où, *était un autre homme ;* **scent.** *odeur laissée par le gibier* et permettant au limier de le suivre.

18. ▲ emploi du plus-que-parfait pour indiquer une action qui a duré dans le passé jusqu'à un moment déterminé. Ici « les personnes qui avaient connu » Holmes jusqu'à cet instant « auraient échoué » si elles cherchaient à le reconnaître, d'où, l'emploi de l'imparfait en français : **we had been living in London when in 1982 we came back to Paris,** *nous vivions à Londres lorsqu'en 1982 nous revînmes à Paris.*

His face flushed [1] and darkened [2]. His brows [3] were drawn into two hard, black lines [4], while his eyes shone out from beneath them [5] with a steely [6] glitter [7]. His face was bent downwards, his shoulders bowed [8], his lips compressed, and the veins stood out like whip-cord in his long, sinewy [9] neck. His nostrils seemed to dilate with a purely animal lust [10] for the chase, and his mind was so absolutely concentrated upon the matter before him [11], that a question or remark fell unheeded [12] upon his ears [13], or at the most only provoked a quick, impatient snarl in reply. Swiftly and silently he made his way along the track which ran through the meadows, and so by way of the woods to the Boscombe Pool. It was damp, marshy ground, as is all that district, and there were marks of many feet [14], both upon the path and amid the short grass which bounded it on either side. Sometimes Holmes would [15] hurry on, sometimes stop dead, and once he made [16] quite a little *détour* into the meadow. Lestrade and I walked behind him, the detective indifferent and contemptuous [17], while I watched my friend with the interest which sprang from the conviction that every one of his actions was directed towards a definite end.

The Boscombe Pool, which is a little reed-girt [18] sheet [19] of water some fifty yards [20] across, is situated at the boundary between the Hatherley Farm and the private park of the wealthy Mr Turner.

---

1 . **to flush,** *rougir,* d'où, *prendre de l'éclat.*

2 . formation d'un verbe avec le suffixe **-en** à partir ici de l'adjectif **dark,** sombre, la formation existe aussi à partir d'un substantif, **length,** *longueur,* **to lengthen,** *allonger,* **strength,** *force,* **to strengthen,** *renforcer.*

3 . △prononciation **brow** [brau].

4 . « étaient tirés en deux lignes noires et dures. »

5 . « tandis que ses yeux brillaient sous eux. ».

6 . **steel,** *acier.*

7 . **glitter,** *éclat métallique,* **all that glitters is not gold,** *tout ce qui brille n'est pas de l'or.*

8 . △ **to bow** [bau], *courber ;* **bow** [bəu], *arc.*

9 . **sinew** ['sɪnju:] *tendon, muscle,* **money is the sinew of war,** *l'argent est le nerf de la guerre.*

10. **lust,** *désir, passion.*

11. « sur l'affaire devant lui. »

Son visage prenait de l'éclat puis s'assombrissait. Ses sourcils devenaient deux traits d'une noire dureté, sous lesquels ses yeux brillaient d'un éclat d'acier. La tête était penchée en avant, les épaules courbées, les lèvres serrées, ses veines saillaient comme des cordes sur son long cou musclé. Ses narines semblaient se dilater sous l'effet d'une passion tout animale pour la chasse, et son esprit était si totalement concentré sur ce qui l'occupait que questions ou remarques lui parvenaient aux oreilles sans qu'il les entende ou, tout au plus, ne suscitaient en guise de réponse qu'un grognement rapide et agacé. Il progressait rapidement et en silence sur la piste qui traversait les prés et menait à travers les bois jusqu'à l'étang de Boscombe. Comme dans tout ce secteur, le sol était détrempé et marécageux, et on y distinguait de nombreuses traces de pas, à la fois sur le sentier et dans l'herbe rase qui le bordait de chaque côté. Parfois Holmes accélérait l'allure, parfois il s'arrêtait net, et même il fit une fois un petit détour dans la prairie. Lestrade et moi marchions derrière lui ; le détective affectait une indifférence dédaigneuse, tandis que j'observais mon ami avec l'intérêt qui venait de la conviction que chacune de ses actions tendait vers un but précis.

L'étang de Boscombe, qui est une petite surface d'eau d'environ quarante-cinq mètres de large, bordée de roseaux, est situé à la limite de la ferme Hatherley et du parc privé du riche Turner.

---

12. **to heed,** *faire attention* à, d'où **heedless,** *inattentif.*
13. « une question ou une remarque tombaient sans être écoutées dans ses oreilles. »
14. « marques de nombreux pieds. »
15. **would** indique répétition d'une action d'où emploi de l'imparfait en français.
16. le prétérit indique une action unique qui intervient dans une série d'actions qui se sont répétées, d'où le passé simple en français.
17. « le détective indifférent et dédaigneux. »
18. adjectif composé de **reed,** *roseau* et **girt,** participe passé de **to gird, girded, girded** ou **girt,** *ceindre* ; **girdle,** *gaine, corset.*
19. **sheet** [∫i:t], *drap, feuille,* d'où, *surface.*
20. *un yard :* 0,914 m d'où quarante-cinq mètres.

Above the woods which lined it upon the farther [1] side we could see the red jutting [2] pinnacles which marked the site of the rich landowner's dwelling. On the Hartherley side of the Pool the woods grew very thick, and there was a narrow belt [3] of sodden [4] grass twenty paces across between the edge of the trees and the reeds which lined the lake. Lestrade showed us the exact spot at which the body had been found, and indeed, so moist [5] was the ground, that I could plainly see the traces which had been left by the fall of the stricken man. To Holmes, as I could see by his eager face and peering [6] eyes, very many other things were to be read upon the trampled [7] grass [8]. He ran round, like a dog who is picking up a scent [9], and then turned upon my companion.

"What did you go into the Pool for [10] ?" he asked.

"I fished about with a rake. I thought there might be some weapon or other trace. But how on earth — ?"

"Oh, tut, tut ! I have no time. That left foot of yours [11] with its inward twist [12] is all over the place [13].

A mole could trace it, and there it vanishes among the reeds. Oh, how simple it would all have been had I been [14] here before they came like a herd [15] of buffalo, and wallowed [16] all over it.

---

1 . « plus éloigné »
2 . **to jut**, *dépasser, faire saillie*, d'où **jutting**, *en saillie, qui dépasse.*
3 . **belt**, *ceinture*, d'où, *bande.*
4 . **sodden**, *détrempé* (terrain).
5 . **moist**, *moite, humide.*
6 . **to peer at something**, *scruter, examiner quelque chose.*
7 . **to trample**, *piétiner.*
8 . « Pour Holmes,...., de très nombreuses autres choses devaient être lues sur l'herbe piétinée. »
9 . **a scent**, *une odeur*, d'où, *une piste.*
10. △ construction : **what.. for ?** *Pour quelle raison ? Dans quel but... ?*
11. construction **that** + substantif **of** + pronom possessif (**mine, yours, his, hers,** etc.) indiquant soit familiarité affectueuse, soit rejet méprisant.

Au-dessus des bois qui bordaient l'autre rive, nous apercevions les hauts pignons rouges qui indiquaient l'emplacement de la demeure du riche propriétaire. Sur le bord de l'étang où se trouvait la ferme Hatherley, les bois étaient très denses et une bande étroite d'herbes détrempées le suivait sur une largeur de vingt pas entre les arbres et les roseaux qui poussaient le long du lac. Lestrade nous indiqua l'endroit exact où le corps avait été trouvé, et, en fait, le terrain était si humide que je pus voir distinctement les traces laissées par la chute de l'homme abattu. Holmes, comme je le voyais à son visage tendu et à ses regards scrutateurs, devait lire bien d'autres choses encore sur l'herbe piétinée. Il courut en rond, comme un chien qui relève une trace, puis il se tourna vers mon compagnon.

— Qu'êtes-vous allé faire dans l'étang ? demanda-t-il.

— J'ai cherché à repêcher quelque chose avec un râteau. J'ai pensé y trouver une arme ou quelque indice. Mais comment diable... ?

— Oh ! Tss, tss. Je n'ai pas le temps. Votre pied gauche que vous rentrez en dedans a laissé son empreinte partout.

Une taupe pourrait la suivre et là, elle disparaît dans les roseaux. Oh ! Comme tout aurait été simple si je m'étais trouvé ici avant qu'on ne vienne comme une horde de buffles pour tout retourner.

---

12. **to twist,** *tordre,* d'où, substantif, *mouvement tournant, tour ;* **inward twist,** Lestrade marche en rentrant le pied gauche.

13. « votre pied gauche avec son mouvement en dedans est (visible, sa trace) partout » ; tournure **all over the place,** everywhere.

14. construction **had I been...,** if I had been, *si j'avais été.*

15. △ **a herd of...** *troupeau* (de gros animaux), *horde, harde ;* a flock of sheep, *un troupeau de moutons,* a flock of geese, *un troupeau d'oies ;* cependant shepherd, *berger.*

16. **to wallow in,** *se vautrer dans,* d'où, ici *retourner, mettre sens dessus dessous.*

Here is where the party with the lodge-keeper came, and they have covered [1] all tracks for six or eight feet [2] round the body. But here are three separate tracks of the same feet.

"He drew out [3] a lens [4], and lay [5] down upon his waterproof to have a better view, talking all the time rather to himself than to us [6]."

These are young McCarthy's feet. Twice he was walking [7], and once he ran swiftly so that the soles are deeply marked, and the heels hardly visible. That bears out [8] his story. He ran when he saw his father on the ground. Then here are the father's feet as he paced up and down. What is this, then ? It is the butt end of the gun as the son stood listening. And this ? Ha, ha ! What have we here ? Tip-toes [9], tip-toes ! Square, too, quite unusual boots [10] ! They come, they go, they come again — of course that was for the cloak. Now where did they come from ?"

He ran up and down, sometimes losing, sometimes finding the track, until we were well within the edge of the wood [11] and under the shadow of a great beech, the largest tree in [12] the neighbourhood.

Holmes traced his way to the farther side of this [13], and lay down once more [14] upon his face with a little cry of satisfaction.

---

1 . « où le groupe avec le gardien est arrivé et ils ont recouvert. »

2 . **one foot** = *30,48 centimètres,* d'où, **six or eight feet,** *plus de deux mètres.*

3 . **to draw, drew, drawn,** *tirer,* ici la postposition **out** donne le sens de *sortir* (de sa poche).

4 . **lens,** *lentille* d'où *loupe,* **magnifying glass,** « verre grossissant ».

5 . ⚠ **to lie, I lay, lain,** *être étendu ;* **to lie down,** *s'étendre.* Ne pas confondre avec **to lay, I laid, laid,** *étendre, poser ;* **to lay the table,** *mettre la table.*

6 . « parlant tout le temps plutôt à soi-même qu'à nous. »

7 . **was walking,** *marchait,* puis, **ran,** *courut ;* la forme -ing est rendue par l'imparfait.

Voici l'endroit par où est arrivé le gardien avec ceux qui l'accompagnaient, et ils ont recouvert toutes les traces dans un rayon de plus de deux mètres autour du corps. Mais voilà trois empreintes différentes des mêmes pieds.

Il sortit une loupe et se coucha par terre sur son imperméable pour mieux voir, tout en parlant, moins à nous qu'à lui-même, continuellement.

— Ce sont les empreintes des pieds du jeune McCarthy. Par deux fois il marchait et une fois il a couru rapidement, si bien que les semelles se sont enfoncées profondément et que les talons sont à peine visibles. Cela confirme ses déclarations. Il a couru lorsqu'il a vu son père à terre. Puis voici les empreintes laissées par le père tandis qu'il allait et venait. Ça, qu'est-ce donc ? Le talon du fusil tandis que le fils écoutait. Mais ça ? Ha, ha ! Qu'avons-nous là ? Quelqu'un marchant sur la pointe des pieds. Des bottes à bout carré, vraiment peu répandues ! Elles vont, elles repartent, elles reviennent encore, mais oui, bien sûr, c'était pour ramasser la cape. Voyons un peu d'où elles venaient ?

Il se mit à courir de ci, de là, tantôt perdant la piste, tantôt la retrouvant, jusqu'à ce que nous nous trouvions dans le bois bien au-delà de la lisière, sous l'ombre d'un grand hêtre, le plus grand arbre de l'endroit.

Holmes revint sur ses pas du côté opposé, et se coucha de nouveau le visage au sol en poussant un petit cri de satisfaction.

---

8 . **to bear out,** *confirmer, corroborer.*

9 . **to tip-toe,** *marcher sur la pointe des pieds ;* **toe,** *orteil,* **tip,** *pointe, bout.*

10. « des bottes à bout carré, aussi, tout à fait inhabituelles. »

11. « jusqu'à ce que nous nous trouvions bien à l'intérieur du bois. »

12. emploi de la préposition **in** devant nom de lieu : **the biggest in the world,** *le plus grand du monde ;* mais **the most intelligent of the three boys,** *le plus intelligent des trois garçons.*

13. « Holmes suivit la trace de son chemin (de ses pas) jusqu'au côté le plus éloigné de celui-ci. »

14. **once more,** *une fois de plus.*

For a long time he remained there, turning over the leaves and dried sticks, gathering up [1] what seemed to me to be dust into [2] an envelope, and examining with his lens not only the ground, but even the bark [3] of the tree as far as he could reach. A jagged [4] stone was lying among the moss [5], and this also he carefully examined [6] and retained. Then he followed a pathway [7] through the wood until he came to the high-road, where all traces were lost.

"It has been a case of considerable interest [8]," he remarked, returning to his natural manner. "I fancy [9] that this grey house on the right must be the lodge [10]. I think that I will go in and have a word with Moran, and perhaps write a little note. Having done that, we may drive back to our luncheon [11]. You may walk to the cab, and I shall be with you presently [12]."

It was about ten minutes [13] before we regained our cab, and drove back into Ross, Holmes still carrying with him the stone which he had picked up in the wood.

"This may interest you, Lestrade," he remarked [14], holding it out [15]. "The murder was done with it."

---

1. emploi de la postposition **up,** indiquant l'idée de ramasser.
2. préposition **into** indiquant mouvement.
3. Δ **bark** [ba:k], écorce ici ; **to bark,** aboyer ; a **bark,** une barque.
4. Δ **to jag,** déchiqueter, denteler, d'où, **jagged,** aux arêtes vives.
5. Δ mousse, **moss** (sur le sol, arbres) ; **foam** (bière), **lather** ['la:ðə], (savon).
6. « et celle-ci aussi il examina. »
7. **path,** [pa:θ] allée, chemin, sentier.
8. « cela a été une affaire d'un intérêt considérable. »
9. **to fancy,** imaginer, mais aussi désirer, avoir envie de, what do you fancy (for lunch) , qu'aimerais-tu manger ?

Il demeura en cet endroit un long moment, retournant les feuilles et les brindilles sèches, rassemblant dans une enveloppe ce qui me parut être de la poussière, et examinant avec sa loupe non seulement le sol mais même l'écorce de l'arbre aussi haut qu'il pouvait. Dans la mousse se trouvait une pierre aux arêtes vives, qu'il examina aussi avec attention et qu'il garda. Puis il suivit un sentier à travers le bois jusqu'à ce qu'il atteignît la grand'route où toutes les traces avaient disparu.

— Affaire d'un grand intérêt, remarqua-t-il en reprenant son attitude naturelle. Je suppose que cette maison grise à droite doit être le pavillon du gardien. Je crois que je vais y aller pour échanger quelques mots avec Moran, et peut-être rédiger une petite note. Après cela, nous pourrons rentrer déjeuner. Vous pouvez retourner à la voiture où je vous rejoins tout de suite.

Il s'écoula une dizaine de minutes avant que nous n'ayons regagné la voiture et ne soyons revenus à Ross ; Holmes avait toujours la pierre qu'il avait ramassée dans le bois.

— Cela vous intéressera peut-être, fit-il en la présentant à Lestrade. C'est avec cela que le crime a été commis.

---

10. « la loge » (où demeure le gardien, située à l'entrée de la propriété).
11. **luncheon,** *déjeuner, lunch.*
12. ▲ **presently,** *bientôt ;* **currently,** *actuellement ;* **actually,** *en fait, réellement ;* **presently** (US), *actuellement.*
13. **it is two years since...,** *il y a deux ans que...*
14. **to remark,** *remarquer* au sens de « faire une remarque ». Bien dinstinguer de **to notice,** *remarquer* au sens d'observer, s'apercevoir de quelque chose.
15. **to hold, I held, held,** *tenir, détenir ;* postposition **out,** donne le sens de *produire, présenter.*

"I see no [1] marks."

"There are none [2]."

"How do you know, then ?"

"The grass was growing under it. It had only lain there a few days [3]. There was no signe of a place whence [4] it had been taken. It correspond with [5] the injuries [6]. There is no sign of any [7] other weapon."

"And the murderer ?"

"Is a tall man, left-handed, limps [8] with the right leg, wears thick-soled [9] shooting-boots and a grey cloak, smokes Indian cigars, uses a cigar-holder, and carries a blunt [10] penknife [11] in his pocket. There are several other indications, but these may be enough to aid us in our search."

Lestrade laughed.

"I am afraid that I am still a sceptic [12]," he said. "Theories are all very well, but we have to deal with a hard-headed [13] British jury."

"*Nous verrons*", answered Holmes calmly. "You work your own method [14], and I shall work mine. I shall be busy this afternoon, and shall probably return to London by the evening train."

"And leave your case unfinished ?"

"No, finished."

---

1. **no** + substantif, *aucun(e), pas de.*
2. **none,** *aucun(e),* pronom indéfini.
3. plus-que-parfait indiquant durée d'une action ou d'un état dans le passé ; en français on utilise l'imparfait. La pierre se trouvait là seulement depuis quelques jours (sous entendu : lorsque Holmes la ramassa).
4. **whence,** *d'où, de l'endroit où ;* **hence,** *depuis ici, de là,* se traduit par *par conséquent.*
5. emploi de la préposition **with.**
6. ▲ **injury,** *blessure ; injure,* **abuse** [ə'bju:s].
7. emploi de **any** après une négation, **no.**
8. **to limp,** *boiter ;* to walk with a limp.

— Je ne vois aucune marque.

— Il n'y en a aucune.

— Alors, comment savez-vous que... ?

— L'herbe poussait sous elle. Cette pierre n'était là que depuis quelques jours. Il n'y avait aucun indice d'un endroit où elle avait été prise. Elle correspond aux blessures. Il n'y a pas trace d'une autre arme.

— Et l'assassin ?

— C'est un homme de haute taille, gaucher ; il boite de la jambe droite, porte des bottes de chasse à semelle épaisse et une cape grise, fume des cigares indiens, et a dans sa poche un canif à la lame émoussée. Il y a plusieurs autres détails, mais ceux-ci peuvent suffire à nous aider dans notre enquête.

Lestrade rit :

— Je crains de demeurer sceptique. Les hypothèses sont très belles, mais nous avons affaire à un jury britannique, dur à convaincre.

— Nous verrons, répondit Holmes avec calme. Agissez selon votre méthode, et je suivrai la mienne. Je vais être occupé cet après-midi et rentrerai probablement à Londres par le train du soir.

— Et vous abandonnez l'affaire en chemin ?

— Non, terminée.

---

9. adjectifs composés, **left-handed,** *gaucher,* **thick-soled,** *à semelle épaisse.*

10. **blunt,** *émoussé* (canif) ; *brusque, brutal* (discours, individu).

11. **penknife,** *canif* (pour tailler plumes, crayons).

12. **sceptic** ['skeptɪk].

13. **hard-headed,** *à la tête dure,* d'où, *dur à convaincre.*

14. notez cette construction de **to work** avec un complément direct, au sens de *faire, opérer, faire fonctionner, mettre à exécution ;* cf. **to work a scheme,** *mettre un plan à exécution.*

"But the mystery ?"

"It is solved."

"Who was the criminal, then ?"

"The gentleman [1] I describe."

"But who is he [2] ?"

"Surely it would not be difficult to find out. This is not such a populous neighbourhood [3]."

Lestrade shrugged his shoulders [4]. "I am a practical man," he said, "and I really cannot undertake to go about the country looking for a left-handed gentleman with a game [5] leg. I should become the laughing-stock [6] of Scotland Yard."

"All right," said Holmes quietly. "I have given you the chance [7]. Here are your lodgings [8]. Good-bye. I shall drop you a line [9] before I leave."

Having left Lestrade at his rooms [10] we drove to our hotel, where we found lunch upon the table. Holmes was silent and buried in thought [11], with a pained expression upon his [12] face, as one [13] who finds himself in a perplexing position.

"Look here [14], Watson," he said, when the cloth [15] was cleared ; just sit down in this chair and let me preach to you for a little [16].

---

1 . △ **gentleman,** *monsieur, homme.* On aurait pu employer man ; bloke, chap, guy (U.S.) peuvent aussi être rendus par *homme.* Le contexte et le niveau de la langue permettent parfois de les traduire par *type, individu, mec.*

2 . △ **who is he** ? *qui est-il, quelle est son identité* ? **What is he** ? *qui est-il ? que fait-il ?*

3 . « ce n'est pas un voisinage peuplé. »

4 . **to shrug one's shoulders,** *hausser les épaules.* Un des rares gestes que se permet un Anglais pour s'exprimer.

5 . △ ne pas confondre **game (leg, arm),** *estropié* et **game,** *courageux, brave* employé uniquement comme attribut, **to be game,** *être courageux, avoir du cœur au ventre.*

6 . **to be the laughing-stock,** *être la risée.*

7 . △ substantif **chance,** *chance, occasion,* mais adjectif **chance,** *fortuit, par hasard.*

— Mais le mystère ?

— Il est résolu.

— Qui est l'assasin, alors ?

— L'homme que je décris.

— Mais qui est-il ?

— Ce ne serait sûrement pas difficile à découvrir. La population des alentours n'est pas tellement dense.

Lestrade haussa les épaules. — Je suis un homme pratique, dit-il, et je ne peux réellement entreprendre de battre la campagne à la recherche d'un gaucher qui boite. Je deviendrais la risée de Scotland Yard.

— Très bien, répondit doucement Holmes. Je vous ai donné votre chance. Vous voici chez vous. Au revoir. Je vous laisserai un mot avant mon départ.

Après avoir laissé Lestrade chez lui, nous nous rendîmes à notre hôtel où nous trouvâmes le déjeuner sur la table. Holmes demeura silencieux, perdu dans ses pensées, une expression peinée sur le visage, comme quelqu'un qui se trouve dans une situation embarrassante.

— Bien, Watson, fit-il lorsque la table fut débarrassée, asseyez-vous donc dans ce fauteuil et prêtez votre attention à mes paroles pendant quelque temps.

---

8 . « voici votre logement » ; **lodgings** est un pluriel.

9 . **to drop a line to somebody,** *écrire un mot à quelqu'un*.

10. « dans ses appartements » ; **rooms,** expression démodée ou utilisée pour donner un effet recherché.

11. « enterré dans ses pensées. »

12. ⚠ emploi de l'adjectif possessif devant les parties du corps ; **he broke his leg,** *il s'est cassé la jambe,* **don't pick your nose,** *ne te mets pas les doigts dans le nez,* **they came in with their hands in their pockets,** *ils entrèrent les mains dans les poches.*

13. emploi de **one** rendu par *quelqu'un, un homme.*

14. **look here !** expression utilisée pour attirer ou retenir l'attention.

15. **cloth** [klɔθ], *drap, toile* ; ici, **(table) cloth,** *nappe.*

16. « laissez-moi vous prêcher un instant. »

I don't quite [1] know what [2] to do, and I should value [3] your advice [4]. Light a cigar, and let [5] me expound."

"Pray [6] do so."

"Well, now, in considering this case there are two points about young McCarthy's narrative which struck us both [7] instantly, although they impressed me in his favour and you against him. One was the fact that his father should, according to his account [8], cry "Cooee !" before seeing [9] him. The other was his singular dying reference to a rat [10]. He mumbled several words, you understand, but that was all that caught the son's ear. Now from this double point our research must commence, and we will begin it by presuming that what the lad says is absolutely true."

"What of [11] this "Cooee !" then ?"

"Well, obviously it could not have been meant [12] for the son. The son, as far as he knew, was in Bristol. It was mere chance that he was within [13] earshot.

---

1. adv. **quite** [kwaɪt], *complètement, entièrement,* ici, *exactement* ; le sens de *assez, plutôt* est indiqué par le contexte ; *c'était assez bon, loin d'être mauvais,* it was quite good.
2. △ infinitif complet après **what** ; après why l'infinitif est employé sans to, why worry ?, *pourquoi se faire du souci ?*
3. « j'attacherais de la valeur à »...
4. △ **advice**, *avis, conseil, opinion* ; demeure invariable en anglais et correspond au sing. et au pluriel français, mais *un conseil,* a piece of advice.
5. construction : let me do it, *laissez-moi faire,* let me help you, *laissez-moi vous aider.*
6. △ tournure recherchée : **pray be seated,** *veuillez vous asseoir* ; « je vous en prie, faites aussi ».
7. place de **both** après le pronom personnel, sujet ou complément, **us both,** we both, you both, they both, them both ; mais la tournure **both** of sera suivie du pronom

Je ne sais pas exactement que faire et j'aimerais votre avis. Allumez un cigare et laissez-moi vous exposer l'affaire.

— Je vous en prie.

— Bien. Voici. Quand on examine cette affaire il y a deux éléments dans le récit du jeune McCarthy qui nous ont frappés tous les deux immédiatement, bien qu'ils m'aient impressionné en sa faveur et vous contre lui. L'un est le fait que son père, selon lui, ait crié « Couhii » avant de l'avoir vu. Le second est l'allusion étrange que la victime a faite en expirant à un rat. Il a bredouillé plusieurs mots, vous me suivez, mais c'est tout ce qu'a saisi l'oreille du fils. Or c'est de ces deux points que doit commencer notre recherche, et nous l'entamerons en supposant que ce que le jeune homme dit est absolument vrai.

— Que faites-vous donc de ce cri, « couhii » ?

— Ma foi, de toute évidence il ne pouvait pas être destiné au fils. Ce dernier, à sa connaissance, était à Bristol. C'était pur hasard qu'il fût à portée de voix.

---

complément, **both of us, you, them, left at 5,** *nous, vous, ils (elles) partent tous (les) deux à 5 heures.*

8. « selon son récit. »

9. emploi en français de l'infinitif passé.

10. « l'autre est sa référence étrange, en mourant, à un rat. »

11. tournure **what of...**, *et que fait-on, faites-vous, de...*

12. ⚠ v. **to mean** [mi:n], **meant** [ment], **meant,** *signifier, vouloir dire,* **what do you mean ?,** *que signifiez-vous ?* ; autres sens : *avoir l'intention* (de faire), *compter, vouloir* (faire), *adresser, destiner* (remarque, cadeau), **what do you mean to do ?** *qu'avez-vous l'intention de faire ?,* **this remark was not meant for you,** *cette remarque ne vous était pas destinée.*

13. ⚠ **within,** *dans, à l'intérieur,* d'où **within reach,** *à portée,* ici, **within earshot,** *dans un espace où le son pouvait parvenir à son oreille.*

The "Cooee !" was meant to attract the attention of whoever [1] it was that he had the appointment [2] with. But "Cooee" is a distinctly Australian [3] cry, and one which is used between Australians.

There is a strong presumption that [4] the person whom McCarthy expected [5] to meet at Boscombe Pool was someone who had been [6] in Australia."

"What of [7] the rat, then ?"

Sherlock Holmes took a folded paper from [8] his pocket and flattened [9] it out on the table.

"This is a map [10] of the Colony of Victoria," he said. "I wired to Bristol for [11] it last night."

He put his hand over part of the map.

"What do you read ?" he asked.

"ARAT [12]," I read.

"And now ?" He raised his hand [13].

"BALLARAT."

"Quite so. That was the word the man uttered [14], and of which his son only caught the last two syllables. He was trying to utter the name of his murderer. So-and-so [15] of Ballarat."

---

1 . suffixe **-ever** signifiant *n'importe...*, *quel... que ce soit* ; **whoever,** *quiconque, qui que ce soit.*

2 . ▲ **appointment,** *rendez-vous* ; *appointement,* **salary.**

3 . adjectifs de nationalité en anglais écrits avec majuscule.

4 . tournure simple en anglais que le français est obligé d'étoffer par un pluriel et une préposition ; on aurait pu avoir, **we can now presume that...**

5 . **to expect,** *s'attendre à ce que, compter* (sur la venue de quelqu'un), *espérer.*

6 . ▲ emploi du plus-que-parfait pour indiquer une durée dans le passé qui s'est arrêtée dans le passé : *j'habitais depuis 1960 lorsque je revins à Paris en 1970,* **I had been living in London since 1960 when I came back to Paris in 1970.**

7 . tournure **what of... ?** à rapprocher de **what about... ?** à traduire par *et que fait-on de...* (question, objet passés) *que diriez-vous de...* (action, objet futurs). **What of your brother ?** *Et ton frère ?* **What about a drink ?** *Que diriez-vous d'un verre ?*

Ce « Couhii ! » était destiné à attirer l'attention de la personne avec qui la victime avait rendez-vous. Mais « Couhii » est une interjection typiquement australienne et qui est utilisée entre Australiens.

Il y a de fortes présomptions pour que la personne que McCarthy s'attendait à rencontrer près de l'étang de Boscombe fût quelqu'un qui avait vécu en Australie.

— Et le rat, alors ?

Sherlock Holmes sortit de sa poche un papier plié qu'il mit à plat sur la table.

— Voici une carte de la colonie de Victoria, dit-il. Je l'ai demandée par télégramme, hier soir, à Bristol.

Il posa la main sur une partie de la carte.

— Que lisez-vous là ? demanda-t-il.

— UNRAT, je lus.

— Et maintenant ? fit-il en levant la main.

— BALLUNRAT.

— Parfaitement. C'est le mot prononcé par l'homme et dont le fils n'a saisi que les deux dernières syllabes. Il tentait de prononcer le nom de l'assassin. Untel de Ballunrat.

---

8 . emploi de la préposition **from**, rendue par le verbe *sortir de.*

9 . formation du verbe à partir de l'adjectif *flat* ; doublement de la consonne afin de garder valeur à la voyelle [æ] ; **to flatten** [flætn].

10. **map,** *carte* (terrestre), *plan* (ville, etc.) ; **chart,** *carte marine* ; **card,** *carte* (**visiting card, business card,** *carte de visite* ; **I D card,** *carte d'identité* ; **credit card,** *carte de crédit* ; **postcard,** *carte postale.*

11. formule brève en anglais ; la préposition **for** est rendue par le verbe *demander* ; **wire,** *fil* (du télégraphe), d'où *télégramme,* d'où, *télégraphier.*

12. Il a été nécessaire de transcrire **ARAT** par UNRAT.

13. « il leva la main » ; emploi de l'adj. possessif devant les parties du corps.

14. Δ v. **to utter,** *prononcer* ; adj. **utter,** *complet, entier,* **it is utter disaster,** *c'est un désastre complet.*

15. **So-and-so,** *untel,* **Mr So-and-so,** *M. Untel.*

"It is wonderful !" I exclaimed.

"It is obvious. And now, you see, I had narrowed the field down considerably [1]. The possession of a grey garment was a third point which, granting the son's statement to be correct [2], was a certainty. We have come now out of mere vagueness [3] to the definite conception [4] of an Australian from Ballarat with a grey cloak."

"Certainly."

"And one who was at home in [5] the district, for the Pool can only be approached by the farm or by the estate, where strangers [6] could hardly [7] wander [8]."

"Quite so."

"Then comes our expedition of to-day. By an examination of the ground I gained the trifling [9] details which I gave to that imbecile Lestrade, as to the personality of the criminal."

"But how did you gain them [10] ?"

"You know my method. It is founded [11] upon the observance of trifles."

"His height [12] I know that you might roughly [13] judge from the length of his stride [14]. His boots, too, might be told from their traces."

"Yes, they were peculiar boots."

"But his lameness ?"

---

1 . « j'ai réduit le champ considérablement. »

2 . « tenant compte que la déclaration du fils est correcte. »

3 . suffixe **-ness** permet construction de nom abstrait avec adj. : **drunken, drunkenness,** *ivre, ivrognerie, ivresse.*

4 . « à la conception positive ».

5 . tournure **to be at home in London,** *bien connaître Londres* ; **to be at home with a problem,** *bien connaître un problème.*

6 . **▲ stranger,** *étranger à un groupe, à une ville,* d'où *inconnu.* **I am a stranger to you,** *je vous suis inconnu, je suis un inconnu pour vous* ; **foreign,** *étranger, d'un pays étranger,* **a foreigner,** *un étranger,* **Foreign Office,** *ministère des Relations extérieures.*

— C'est formidable ! m'exclamai-je.

— C'est évident. Et maintenant, voyez-vous, j'ai considérablement réduit le champ de nos recherches. La possession d'un vêtement gris constituait un troisième point qui, si on décide de croire la déclaration du fils, est une certitude. Nous sommes maintenant sortis du simple vague pour concevoir de manière précise un Australien de Ballunrat vêtu d'une cape grise.

— Certainement.

— Et quelqu'un qui connaît bien l'endroit, car on ne peut s'approcher de l'étang que par la ferme ou la propriété, où quelqu'un d'étranger pourrait difficilement s'aventurer.

— Exactement.

— Puis arrive notre expédition d'aujourd'hui. En examinant le terrain, j'ai rassemblé les menus détails que j'ai transmis à cet imbécile de Lestrade, sur la personnalité de l'assassin.

— Mais comment avez-vous rassemblé ces détails ?

— Vous connaissez ma méthode. Elle est fondée sur l'observation des menus détails.

— Sa taille, je sais que vous avez pu l'évaluer approximativement d'après la longueur de ses pas. Ses chaussures, aussi, ont pu être décrites d'après les empreintes qu'elles ont laissées.

— Oui, ce sont des chaussures peu habituelles.

— Mais sa claudication ?

---

7 . **hardly.** *difficilement, à peine.*

8 . **to wander.** *errer, aller à l'aventure,* d'où *s'aventurer.*

9 . ▲ **trifle** [traifl], *objet (idée) de peu d'importance,* d'où, adj. **trifling.** déformation de **trivial** ['trɪvjəl], *de peu d'importance, banal.*

10. « comment les avez-vous gagnés ? »

11. ▲ **to found. I founded.** *fonder, appuyer sur* ; **to find, I found, found,** *trouver, découvrir.*

12. **height.** *hauteur,* d'où *taille.*

13. ▲ **rough** [rʌf], *rude, rugueux, grossier,* d'où **roughly.** *approximativement.*

14. *pas,* **stride** (enjambée), **pace** (vitesse).

"The impression of his right foot was always less distinct than his left. He put less weight upon it [1]. Why ? Because he limped [2], he was lame [3]."

"But his left-handedness [4] ?"

"You were yourself struck by the nature of the injury as recorded [5] by the surgeon at the inquest [6].

The blow [7] was struck from immediately behind [8], and yet was upon the left side [9]. Now, how can that be unless it were [10] by a left-handed man ? He had [11] stood behind that tree during the interview between the father and son. He had even smoked there. I found the ash [12] of a cigar, which my special knowledge of tobacco ashes enabled me to pronounce as an Indian cigar [13]. I have, as you know, devoted [14] some attention to this [15], and written a little monograph on the ashes of 140 different varieties [16] of pipe, cigar, and cigarette tobacco. Having found the ash, I then looked round and discovered the stump [17] among the moss where he had tossed [18] it. It was an Indian cigar, of the variety which are rolled in Rotterdam."

"And the cigar-holder [19] ?"

"I could see that the end had not been in his mouth. Therefore he used a holder. The tip had been cut off, not bitten off [20], but the cut was not a clean one, so I deduced a blunt penknife."

---

1 . « Il mettait moins de poids sur celui-ci ».

2 . v. **to limp**, boiter, claudiquer ; **he limped** [lɪmpt].

3 . **lame**, estropié, boiteux ; a **lame** duck, un canard boiteux, société industrielle ou commerciale en difficulté.

4 . substantif abstrait construit à partir d'un adj. composé et du suffixe **-ness ;** « et le fait qu'il soit gaucher ? ».

5 . v. **to record** [rɪkɔ:d] enregistrer, substantif **record** ['rekəd], rapport, archive, disque, record (sportif).

6 . « comme enregistré par le chirurgien à l'enquête. »

7 . to blow, I blew, blown, souffler ; **a blow**, un coup.

8 . « de derrière immédiatement », d'où, de très près par-derrière.

9 . « et pourtant était sur le côté gauche ».

10. emploi du subjonctif, **it were,** pour indiquer hypothèse ; as it were, pour ainsi dire.

11. emploi du plus-que-parfait indiquant durée de l'action ou de l'état.

— L'empreinte de son pied droit était toujours moins distincte que celle du pied gauche. Il pesait moins dessus. Pourquoi ? Parce qu'il boitait, il était estropié.

— Mais n'était-il pas gaucher ?

— Vous avez vous-même été frappé par la nature de la blessure comme l'a enregistrée le chirurgien lors de l'enquête.

Le coup a été assené de très près par-derrière et pourtant sur le côté gauche de la tête. Alors, comment est-ce possible, à moins que ce ne fût le fait d'un gaucher ? Il se tenait derrière cet arbre pendant la conversation entre le père et le fils. Il a même fumé là. J'ai trouvé la cendre d'un cigare que ma connaissance particulière des cendres de tabac m'a permis d'identifier comme étant celle d'un cigare indien. J'ai, comme vous le savez, consacré mon attention à ce sujet et écrit une petite monographie sur les cendres de 140 différentes variétés de tabac pour la pipe, le cigare ou la cigarette. Après avoir trouvé cette cendre, j'ai cherché autour et ai découvert le mégot dans la mousse où il l'avait jeté. C'était un cigare indien, de la variété de ceux qui sont roulés à Rotterdam.

— Et le fume-cigare ?

— J'ai remarqué que le bout n'avait pas été dans la bouche du fumeur. Il utilisait par conséquent un fume-cigare. Le bout avait été coupé et non sectionné avec les dents, mais la coupure n'était pas nette ; donc j'en ai déduit que la lame du canif était émoussée.

---

12. **ash,** cendre (cigarette, charbon, feu) ; **ashes,** cendres (mort) ; **cinders,** cendres (charbon), scories (volcan, etc.).

13. forme elliptique en anglais, étoffée en français : « m'ont permis de nommer comme (étant) un cigare indien ».

14. **to devote,** (se) consacrer à ; (se) vouer à, **he devoted his life to word,** il consacra sa vie au travail.

15. **this,** rendu par ce sujet.

16. ▲**variety,** ['vəraɪətɪ], **various** ['veərɪəs], **to vary** ['veərɪ].

17. **stump,** mégot (cigare), souche (arbre), moignon (membre) ; **butt,** mégot (cigarette) ; **end,** bout (cigare, cigarette) ; **stub,** mégot ; éteignez votre cigarette, **stub it out.**

18. **to toss,** jeter (en l'air) ; tirer à pile ou face, **to toss up a coin.**

19. **holder,** qui tient ; porte-clés, **key-holder.**

20. **off** indiquant une séparation ; **to bite** [baɪt], **bit** [bɪt], **bitten** [bɪtn] **off,** mordre, d'où couper avec les dents.

"Holmes," I said, "you have drawn a net round this man from which he cannot escape, and you have saved an innocent human life [1] as truly as if you had cut the cord which was hanging him. I see the direction in which all this points [2]. The culprit is ———"

"Mr John Turner," cried the hotel waiter, opening the door of our sitting-room, and ushering [3] in a visitor.

The man who entered was a strange and impressive figure [4]. His slow, limping step and bowed [5] shoulders gave the appearance of decrepitude and yet his hard, deep-lined, craggy [6] features, and his enormous limbs showed that he was possessed of [7] unusual strength of body and of character. His tangled [8] beard, grizzled [9] hair, and out-standing [10], drooping eyebrows combined to give an air of dignity and power to his appearance [11], but his face was of an ashen white [12], while his lips and the corners of his nostrils were tinged with a shade of blue [13]. It was clear to me at a glance [14] that he was in the grip of [15] some deadly and chronic disease.

"Pray sit down on the sofa," said Holmes gently. "You had my note ?"

"Yes, the lodge-keeper brought it up. You said that you wished to see me here to avoid scandal."

"I thought people would talk if I went to the Hall."

"And why did you wish to see me ?" He looked across at my companion with despair in his weary eyes, as though his question were already answered.

"Yes," said Holmes, answering the look rather than the words. "It is so. I know all about McCarthy."

---

1 . « une vie humaine innocente ».

2 . « je vois la direction dans laquelle tout cela pointe ».

3 . **to usher,** faire entrer, introduire, d'où **usherette** ouvreuse (de cinéma).

4 . « L'homme qui entra était une silhouette impressionnante et étrange ».

5 . **to bow** [bau], courber, pencher, ici, voûter ; mais **bow** [bəu] arc.

6 . **craggy,** escarpé (rocher), taillé à coups de serpe (traits, visage).

7 . « il était doué de ». △ **to possess** [pə'zes]

8 . **to tangle,** enchevêtrer, embrouiller.

90

— Holmes, dis-je. Vous avez tissé autour de cet homme un filet d'où il ne peut s'échapper, et vous avez sauvé la vie d'un innocent aussi sûrement que si vous aviez coupé la corde qui servait à le pendre. Je vois la direction où va tout ce que vous m'avez dit. Le coupable est...

— M. John Turner, annonça le garçon d'hôel, en ouvrant la porte de notre salon pour y introduire un visiteur.

L'homme qui entra avait une allure étrange et impressionnante. Sa démarche lente et claudicante, ses épaules voûtées, lui donnaient un air de décrépitude et cependant ses traits durs, profondément marqués et taillés à coups de serpe, et ses énormes membres montraient qu'il possédait une inhabituelle force physique et morale. Une barbe en broussaille, des cheveux grisonnants, des sourcils proéminents et retombants, contribuaient à lui donner un aspect de robuste dignité, mais son visage était d'une pâleur de cendre, et les lèvres tout comme les ailes de son nez étaient bleuâtres. Un regard me suffit pour comprendre qu'il était la proie d'une maladie chronique et mortelle.

— Je vous prie de vous asseoir sur le canapé, dit Holmes avec douceur. Vous avez reçu mon mot ?

— Oui, le gardien me l'a apporté. Vous disiez souhaiter me voir pour éviter un scandale.

— J'ai pensé qu'on parlerait si j'allais à la propriété.

— Et pourquoi désiriez-vous me voir ? — Il regarda mon compagnon et ses yeux las exprimaient le désespoir, comme si la réponse avait déjà été donnée à sa question.

— Oui, fit Holmes, répondant plutôt au regard qu'aux paroles. C'est bien ça. Je sais tout concernant McCarthy.

---

9. **grizzled,** *grisonnant.*
10. **outstanding,** *qui ressort,* d'où, *proéminent* et *extraordinaire* dans le domaine abstrait.
11. « s'alliaient pour donner un aspect de dignité et de puissance à son apparence ».
12. « d'un blanc cendreux ».
13. « le bord de ses narines était teinté d'une nuance de bleu ».
14. « il m'était clair d'un coup d'œil ».
15. **to be in the grip of,** *être* (dans la prise), d'où *la proie de,* à rapprocher de **to grab,** *saisir,* **to grasp,** *saisir.*

The old man sank[1] his face in his hands.

"God help me[2] !" he cried. "But I would not have let the young man come to harm[3]. I give you my word that I would have spoken out[4] if it went against him[5] at the Assizes."

"I am glad to hear you say so[6]," said Holmes gravely.

"I would have spoken now had it not been for my dear girl[7]. It would break her heart — it will break her heart when she hears[8] that I am arrested."

"It may not come to that," said Holmes.

"What ![9]"

"I am no official agent[10]. I understand that it was your daughter who required my presence here[11], and I am acting in her interests. Young McCarthy must be got off, however."

"I am dying man[12]," said old Turner. "I have had[13] diabetes for years. My doctor says it is a question whether[14] I shall live a month[15]. Yet I would rather die under my own roof than[16] in a gaol[17]."

Holmes rose and sat down at the table with his pen in his hand and a bundle of paper before him.

"Just tell us the truth," he said. "I shall jot down[18] the facts. You will sign it, and Watson here can witness it[19]. Then I could produce your confession at the last extremity to save young McCarthy.

---

1. **to sink, I sank, sunk,** sombrer, faire sombrer, d'où, ici, cacher, faire disparaître.

2. subjonctif **(let) God help me,** God save the Queen, que Dieu sauve la reine.

3. « en venir à mal » ; **to come to harm** ; harm, mal, **harmless,** inoffensif, **harmful,** nuisible.

4. **to speak out,** avouer.

5. « si (cela) l'affaire allait contre lui ».

6. emploi de **so** reprenant l'énoncé précédent, rendu par pronom impersonnel.

7. « si ce n'avait été pour ma pauvre fille », inversion **had it not been,** équivalent de if it had not been.

8. ⚠ emploi du présent dans proposition circonstancielle de temps ; **when she hears,** quand elle apprendra.

9. **What !** interjection exprimant surprise rendue par comment !.

Le vieil homme se cacha le visage dans les mains.

— Que Dieu me vienne en aide ! s'écria-t-il. Mais je n'aurais pas laissé condamner ce jeune homme. Je vous donne ma parole que j'aurais tout avoué si les choses avaient mal tourné pour lui aux Assises.

— Je suis heureux de vous l'entendre dire, déclara Holmes gravement.

— J'aurais parlé tout de suite sans l'existence de ma chère enfant. Cela briserait son cœur... Cela brisera son cœur quand elle apprendra que je suis arrêté.

— Cela n'ira peut-être pas jusque-là, dit Holmes.

— Comment !

— Je ne suis pas un représentant de la police officielle. Si je comprends bien, c'est votre fille qui a demandé que je vienne ici et je représente ses intérêts. le jeune McCarthy doit cependant être libéré.

— Je suis à l'article de la mort, dit le vieux Turner, je suis diabétique depuis des années. Mon docteur m'accorde un mois au plus. Pourtant je préférerais mourir sous mon toit plutôt qu'en prison.

Holmes se leva et s'assit à la table, prit une plume et des feuilles de papier.

— Dites-nous simplement la vérité, demanda-t-il. Je vais noter les faits. Vous signerez et Watson ici présent servira de témoin. Ensuite je pourrais présenter votre confession en dernier ressort pour sauver le jeune McCarthy.

---

10. « je ne suis pas un agent officiel », d'où, représentant officiel de la police.
11. « je comprends que ce fut votre fille qui a demandé ma présence ici ».
12. « je suis un (homme) mourant ».
13. emploi du *present perfect* **to have** + *participe passé* pour indiquer que l'action dure encore dans le présent.
14. ▲**whether,** *si oui ou non.*
15. « mon docteur dit que c'est une question (de savoir) si je vivrai un mois (ou non) ».
16. tournure **I would rather... than.**
17. ▲ **gaol** écrit parfois **jail** (U.S.) [dʒeil], *geôle, prison,* mais **goal** [gəul], *but, objectif.*
18. **to jot down,** noter.
19. « pourra en témoigner ».

I promise you that I shall not use it unless it is absolutely needed [1]."

"It's as well," said the old man ; "it's a question whether I shall live [2] to the Assizes, so it matters little to me [3], but I should wish to spare [4] Alice the shock. And now I will make the thing clear to you [5] ; it has been a long time in the acting, but will not take me long to tell [6].

"You didn't know this dead man, McCarthy. He was a devil incarnate [7]. I tell you that. God keep you [8] out of the clutches [9] of such a man as he. His grip has been upon me these twenty years [10], and he has blasted [11] my life. I'll tell you first how I came to be in his power.

"It was in the early 'sixties at the diggings [12]. I was a young chap then, hot-blooded and reckless [13], ready to turn my hand to anything ; I got among bad companions [14], took to drink [15], had no luck with my claim, took to the bush [16], and, in a word, became what you would call over here a highway robber. There were six of us [17], and we had a wild, free life of it, sticking up [18] a station from time to time or stopping the wagons on the road to the diggings. Black Jack of Ballarat was the name I went under, and our party [19] is still remembered in the Colony as the Ballarat Gang.

---

1 . « à moins que ce ne soit absolument nécessaire ».

2 . « c'est une question si je vivrai »...

3 . tournure **it matters to me ;** it doesn't matter, cela n'a pas d'importance.

4 . **to spare,** se passer de, d'où disposer, **can you spare a couple of minutes ?,** pouvez-vous disposer de quelques minutes ? ; épargner (quelque chose à) quelqu'un, **can spare him (the problem) ?,** pouvez-vous l'épargner (lui épargner le problème) ?...

5 . « et maintenant je vais rendre l'affaire claire pour vous », emploi de l'auxiliaire **will** indiquant la volonté du sujet.

6 . ∆ tournure **it takes long to do ; how long did it take you ?** Combien de temps cela vous a-t-il pris ?

7 . ∆ place de l'adjectif dans expression **devil incarnate ;** knight errant, chevalier errant ; heir apparent, héritier présomptif.

8 . emploi du subjonctif **(let) God keep you...**

Je vous promets de ne m'en servir que si cela est absolument nécessaire.

— C'est aussi bien, dit le vieil homme. Il s'agit de savoir seulement si je vivrai jusqu'aux assises ; cela a donc peu d'importance pour moi, mais je voudrais épargner ce choc à Alice. Et maintenant je vais tout vous dire ; cela a duré longtemps, mais ne sera pas long à raconter.

Vous ne connaissiez pas le défunt, ce McCarthy. C'était le diable incarné. Je vous l'affirme. Que Dieu vous préserve des griffes d'un tel homme. Cela fait vingt ans que j'étais sous son emprise et il a ruiné ma vie. Je vais vous dire d'abord comment j'en suis venu à tomber en son pouvoir.

Cela se passait au début des années 1860, parmi les chercheurs d'or. J'étais alors un jeune garçon intrépide, au sang chaud, prêt à me joindre à n'importe quel coup. J'avais de mauvaises fréquentations, je m'étais mis à boire ; n'ayant eu aucune chance avec ma concession, je pris le maquis et devins ce que vous appelleriez un voleur de grands chemins. Nous étions six à mener cette vie sauvage et libre, attaquant un poste de temps à autre, ou arrêtant les chariots desservant les concessions. Je me faisais appeler Jack le Noir de Ballunrat et on se souvient encore de nous dans la colonie comme de la bande de Ballunrat.

---

9 . ▲ **clutch,** *étreinte, prise,* d'où *griffes.*

10. ▲ tournure **these** + *unité de temps* = **for** + *unité de temps* : « son emprise est sur moi depuis vingt ans » ; **I have known him these last ten years,** *je le connais depuis dix ans.*

11. **to blast,** *détruire* (par souffle).

12. **to dig, I dug, dug,** *creuser,* ici mine d'or, d'où *chercheurs d'or.*

13. **reckless,** *intrépide, casse-cou ;* **he was arrested for reckless driving,** *on l'a arrêté pour conduite dangereuse.*

14. « je tombais parmi de mauvais compagnons ».

15. **to take to,** *se mettre à, s'adonner à ;* **to take to drink.**

16. **bush** [buʃ], *brousse,* d'où, *maquis.*

17. ▲ *nous étions deux,* **there were two of us ;** *ils étaient trois,* **there were three of them.**

18. **Stick them up !** *Haut les mains !*

19. ▲ **party,** *groupe,* ici.

"One day a gold convoy came down from Ballarat to Melbourne, and we lay in wait for it [1] and attacked it. There were six troopers [2] and six of us, so it was a close thing [3], but we emptied four of their saddles at the first volley. Three of our boys were killed, however, before we got the swag [4]. I put my pistol to the head of the wagon-driver, who was this very [5] man McCarthy. I wish to the Lord that I had shot him then [6], but I spared him, though I saw his wicked little eyes fixed on my face, as though to remember every feature. We got away [7] with the gold, became wealthy [8] men, and made our way over to England without being suspected [9]. There I parted [10] from my old pals [11], and determined to settle down to a quiet and respectable life [12]. I bought this estate, which chanced to be in the market [13], and I set myself to do a little good [14] with my money, to make up for [15] the way in which I had earned it. I married, too, and though my wife died young, she left me my dear little Alice. Even when she was just a baby her wee [16] hand seemed to lead me down the right path as nothing else had ever done. In a word, I turned over a new leaf [17], and did my best to make up for the past. All was going well when McCarthy laid his grip upon me.

---

1 . « nous étions (allongés) à l'attendre », d'où, être, se mettre en embuscade.

2 . **trooper,** soldat de cavalerie ; to swear like a trooper, jurer comme un charretier.

3 . « aussi, c'était une affaire serrée », d'où, coup risqué.

4 . **swag,** butin ; autre terme, plus fréquent, **loot.**

5 . ⚠ emploi de **very** devant un substantif : sens de même, celui, ceux, dont il a été question ; **you are the very person I had to talk to,** vous êtes la personne même à qui je devais parler.

6 . « je souhaite devant le Seigneur que je l'eusse tué alors ».

7 . emploi de **to get** avec une postposition : ici **to get away,** filer, s'enfuir ; **to get out,** sortir, **to get in,** entrer ; **to get off,** descendre (d'un véhicule) ; **to get up,** se lever.

8 . adj. **wealthy,** riche (au sens de fortuné) ; **rich** peut aussi être employé dans ce sens, mais sera, seul, utilisé en économie, un pays riche, **a rich country.**

Un jour un convoi d'or descendit de Ballunrat à Melbourne et nous nous mîmes en embuscade pour l'attaquer. Il y avait six soldats et nous étions six, si bien que le coup était risqué ; mais nous en fîmes tomber quatre de leur selle, dès notre premier tir. Trois des nôtres furent tués, cependant, avant d'emporter le butin. J'appliquai mon pistolet contre la tête du conducteur du chariot qui n'était autre que ce même McCarthy. Je regrette devant le Seigneur de ne pas l'avoir tué alors, mais je l'épargnai bien que voyant ses petits yeux méchants fixés sur mon visage, comme pour se souvenir de chaque trait. Nous filâmes avec l'or, devînmes riches, repartîmes pour l'Angleterre sans avoir été soupçonnés. Là, je me séparai de mes vieux compagnons et décidai de mener désormais une existence paisible et respectable. J'achetai ce domaine, qui se trouvait à vendre, et entrepris de faire un peu de bien avec mon argent afin de réparer la manière dont je l'avais gagné. Je me mariai aussi et, bien que ma femme mourût jeune, elle me laissa ma chère petite Alice. Même lorsqu'elle n'était encore qu'un bébé, sa menotte semblait me guider dans le droit chemin mieux que ne l'avait jamais fait n'importe quoi. En un mot, j'avais tourné la page et fait de mon mieux pour réparer le passé. Tout allait bien lorsque McCarthy mit le grappin sur moi.

---

9 . ▲emploi du participe présent après prép.

10. ▲ **to part (with, from)**, *quitter, se séparer de ; partir,* to leave, I left, left, to set off.

11. **pal,** *ami, compagnon,* et, selon contexte et niveau de langue, *copain, copine.*

12. « m'installer dans (vers) une existence paisible et respectable » ; **to settle down,** *s'installer, s'établir.*

13. « être sur le marché », d'où, *à vendre.*

14. ▲ **to do good,** *faire le bien ;* a **do-gooder,** *pharisien, hypocrite.*

15. **to make up for something,** *réparer quelque chose, se racheter.*

16. **wee** [wiː], *petit, menu* (Écosse).

17. **to turn over a new leaf,** *tourner la page, s'amender.*

"I had gone up to town about an investment, and I met him in Regent Street [1] with hardly a coat to his back or a boot to his foot [2].

"Here we are, Jack," says he, touching me on the arm ; "we'll be as good as [3] a family to you. There's two [4] of us, me and my son, and you can have the keeping [5] of us. If you don't — it's a fine, law-abiding [6] country is [7] England, and there's always a policeman within hail [8]."

"Well, down [9] they came to the West Country [10], there was no [11] shaking them off, and there they have lived rent free on my best land ever since [12]. There was no rest for me, no peace, no forgetfulness ; turn where I would [13], there was his cunning, grinning face at my elbow [14]. It grew worse as Alice grew up, for he soon saw I was more afraid of her knowing my past than of the police [15]. Whatever [16] he wanted he must have, and whatever it was I gave him without question, land, money, houses, until at last he asked for a thing which I could not give. He asked for Alice.

"His son, you see, had grown up, and so had my girl, and as I was known to be in weak health, it seemed a fine stroke to him that his lad should step into the whole property. But there I was firm.

---

1 . noms de lieu, de rue ne doivent pas être traduits ; certains noms de ville, que l'usage a consacrés, seront traduits, ceux des capitales notamment.
2 . « avec à peine un manteau sur le dos et une chaussure à son pied ».
3 . pression, it will be as good as a meal to you, ça vous servira de repas.
4 . emploi incorrect du singulier devant un pluriel ; langue vulgaire ici.
5 . emploi d'une forme en -ing à la place d'un nom, upkeep, entretien ; to keep a person, entretenir quelqu'un.
6 . law-abiding [lɔrə'baidiŋ] ʌ r entre law et abiding intervenant pour éviter hiatus de même dans law and order [lɔ:rənɔ:dɜ:], r entre law et and, l'ordre public, la loi établie ; law-abiding, respectueux de la loi ; to abide, abode (abided), abode (abided), by, respecter, se conformer à (law, rule).

Je m'étais rendu à Londres pour un placement et je le rencontrai dans Regent Street avec tout juste des vêtements sur le dos et des chaussures aux pieds.

— Nous voici, Jack ! dit-il en me touchant le bras. Nous serons comme une famille pour vous. Nous sommes deux, moi et mon fils, et vous pourrez vous charger de nous. Sinon, l'Angleterre est un bien beau pays où les lois sont respectées, et où il y a toujours un agent de police à portée de la voix.

Ils m'ont donc suivi dans l'ouest du pays. Il m'était impossible de m'en débarrasser et là ils ont vécu sur mes meilleures terres sans payer de loyer. Pour moi il n'y avait ni repos, ni paix, ni oubli ; où que je me trouvasse, son visage ricanant, rusé se trouvait à mes côtés. Cela s'aggrava à mesure qu'Alice grandissait, car il s'aperçut bientôt que je craignais davantage de voir ma fille plutôt que la police apprendre la réalité de mon passé. Tout ce qu'il voulait, il fallait qu'il l'obtînt, et quoi que ce fût, je le lui donnais sans discussion : terres, argent, maisons, jusqu'au moment où il finit par me demander ce que je ne pouvais lui donner. Il me demanda Alice.

Son fils, voyez-vous, avait grandi, tout comme ma fille, et comme on me savait en mauvaise santé, il lui sembla que ce serait une bonne affaire si son fils recevait tous mes biens. Mais là, je tins bon.

---

7. emploi relâché et non grammatical, d'où impression d'une langue vulgaire : **it's a... country is England.**

8. **to hail,** appeler, héler.

9. place de la postposition indiquant soudaineté de l'action et son caractère irréversible ici ; **off they went,** et eux de partir, les voici partis.

10. **West Country,** région Ouest.

11. expression **there is no** + forme en **-ing,** il n'y a pas moyen de.

12. **ever since,** depuis lors sans discontinuer.

13. **turn where I would : (let me) turn where I would (turn),** d'où, où que je me tournasse ; « que je me tourne où je voulais ».

14. « à mon coude ».

15. « car il vit bientôt que je craignais plus qu'elle connût mon passé que la police (ne le connût) ».

16. **whatever,** quoi que ce soit.

I would not have his cursed [1] stock [2] mixed with mine ; not that I had any dislike to the lad [3], but his blood was in him, and that was enough. I stood firm. McCarthy threatened. I braved him to do his worst [4]. We were to meet at the Pool midway [5] between our houses to talk it over [6].

"When I went down there I found him talking with his son, so I smoked a cigar, and waited behind a tree until he should be alone. But as I listened to his talk all that [7] was black and bitter in me seemed to come uppermost [8]. He was urging his son to marry my daughter with as little regard for what she might think as if [9] she were [10] a slut [11] from off the streets. It drove me mad [12] to think that I and all that I held most dear should be in the power of such a man as this. Could I not snap [13] the bond [14] ? I was already a dying and a desperate man. Though clear of mind and fairly strong of limb [15], I knew that my own fate was sealed [16]. But my memory and my girl ! Both could be saved, if I could but silence that foul [17] tongue. I did it, Mr Holmes. I would do it again. Deeply as I have sinned [18], I have led a life of martyrdom to atone for [19] it. But that my girl should be entangled [20] in the same meshes [21] which held me was more than I could suffer.

---

1. **to curse,** *maudire,* mais aussi *jurer, employer des jurons,* tout comme **to swear.**

2. △ **stock,** *stock,* mais aussi, *cheptel,* d'où, *valeurs* (immobilières, en bourse), aussi, *billet, souche, lignée, famille,* d'où ici, *descendance* ; **a chip of the old block,** « un éclat du vieux billot », d'où, *c'est le portrait (craché) de son père.*

3. « non pas que j'aie une quelconque haine contre ce garçon ».

4. « de faire son pire ».

5. **midway,** on aurait pu avoir, **half-way.**

6. **to talk it over,** *en discuter,* d'où, *discuter de notre affaire.*

7. △**all that,** *tout ce qui (que).*

8. **uppermost,** *tout en haut, le plus élevé,* d'où, *remonter à la surface.*

9. « avec aussi peu d'égard pour ce qu'elle pourrait penser que si »...

Je ne voulais pas voir sa maudite descendance s'unir à la mienne, non pas que j'eusse quoi que ce fût contre son garçon, mais son sang était en lui et cela était suffisant. Je demeurai ferme. McCarthy menaça. Je le défiai d'aller au pire. Nous devions nous rencontrer près de l'étang, à mi-chemin entre nos demeures, pour discuter de notre affaire.

Quand j'arrivai là-bas, je le trouvai en conversation avec son fils, aussi fumai-je un cigare en attendant derrière un arbre qu'il fût seul. Mais, comme j'écoutais ses paroles, tout ce qui était noir et amer en moi sembla remonter à la surface. Il incitait son fils à épouser ma fille en ayant aussi peu d'égard pour son opinion que s'il se fût agi d'une fille des rues. Cela me rendit fou de penser que moi et tout ce que je chérissais étions au pouvoir d'un tel homme. Ne pouvais-je briser ce lien ? J'étais déjà un homme désespéré et au bord de la tombe. Bien que lucide et assez vigoureux, je savais que mon sort était fixé. Mais le souvenir que je laisserais, et ma fille ! Tous deux pouvaient être sauvés, si je pouvais seulement faire taire cette langue ignoble. C'est ce que je fis, monsieur Holmes. Je le referais. Si grave qu'ait été ma faute, j'ai vécu un martyre pour la réparer. Mais que ma fille soit prise dans les mêmes filets qui me tenaient, était plus que je pouvais supporter.

---

10. subjonctif indiquant hypothèse ; **if I were you,** *si j'étais à votre place.*
11. **a slut,** *une prostituée.*
12. expression, **this is driving me mad,** *cela me rend fou.*
13. △ **to snap** *(faire) claquer* d'où, *faire sauter, éliminer.*
14. **bond,** *lien, obligation* (moral, et bourse des valeurs), à rapprocher du verbe **to bind,** *lier.*
15. « clair d'esprit et assez fort de membre (s) ».
16. **to seal,** *sceller, apposer un sceau.*
17. **foul** [faul], contraire de **fair** [feə], *beau, blond, honnête, juste, blanc* d'où **foul play,** *faute* (jeu, sport), **foul language,** *langage obscène,* **foul smell,** *odeur immonde.*
18. **to sin,** *pécher.*
19. **to atone for** (sin) (mistake), *expier* (péché), *réparer* (faute).
20. **to entangle,** *emmêler.*
21. **mesh,** *réseau.*

I struck him down with no more compunction [1] than if he had been some foul and venomous [2] beast. His cry brought back his son ; but I had gained the cover of the wood, though I was forced to go back to fetch [3] the cloak which I had dropped in my flight. That is the true story, gentlemen, of all that occurred."

"Well, it is not for me to judge you," said Holmes, as the old man signed the statement [4] which had been drawn out [5]. "I pray that we may never [6] be exposed to such a temptation."

"I pray not, sir. And what do you intend to do ?"

"In view of your health [7], nothing. You are yourself aware that you will soon have to answer for your deed [8] at a higher court [9] than the Assizes. I will [10] keep your confession, and, if McCarthy is condemned, I shall [10] be forced to use it. If not, it shall never be seen by mortal eye ; and your secret, whether you be alive or [11] dead, shall be safe [12] with us."

"Farewell [13] ! then," said the old man solemnly. "Your own death-beds, when they come, will be the easier for the thought of the peace which you have given to mine [14]". Tottering [15] and shaking in all his giant frame [16], he stumbled slowly from [17] the room.

"God help us !" said Holmes, after a long silence. "Why does Fate play such tricks [18] with poor helpless [19] worms [20] ?

---

1 . « avec pas plus de componction... »
2 . venom, *venin*, **venomous**, *venimeux*.
3 . **to fetch**, *aller chercher* ; erreur souvent commise **go (and) fetch...**
4 . to state, *déclarer*, **statement**, *déclaration*, ici, *déposition*.
5 . **to draw out**, *établir, transcrire, rédiger*.
6 . « je prie que nous ne puissions jamais... »
7 . « vu votre santé » ; **to your health !**, *à votre santé !*
8 . **deed**, *acte, action*.
9 . **court**, *cour, tribunal*.
10. △ emploi de **will** indiquant la volonté du sujet ; **shall** indique que le sujet, comme le reste de la phrase le montre, sera forcé par des circonstances lui échappant de produire la confession de McCarthy.
11. **whether... or**, *soit que... soit que...* ; subjonctif présent **be.**

Je l'abattis avec moins de remords que s'il avait été quelque bête immonde et venimeuse. Son cri fit revenir son fils ; mais j'avais regagné le couvert du bois, bien que je fusse forcé de revenir pour ramasser la cape que j'avais laissée tomber en fuyant. Voilà l'histoire véridique, Messieurs, de tout ce qui s'est passé.

— Ma foi, ce n'est pas à moi de vous juger, dit Holmes, tandis que le vieil homme signait la déposition qui avait été rédigée. Je prie le Ciel que nous ne soyons jamais exposés à une pareille tentation.

— Je le prie aussi, Monsieur. Et que vous proposez-vous de faire ?

— En considération de votre état de santé, rien. Vous êtes vous-même conscient qu'il vous faudra bientôt répondre de votre acte devant un juge bien plus élevé que les assises. Je vais garder votre confession et si McCarthy est condamné, je serai obligé de l'utiliser. Sinon, elle ne sera jamais vue par aucun mortel et votre secret, que vous soyez mort ou vivant, sera en sûreté avec nous.

— Adieu alors, dit le vieil homme avec solennité. Quand votre heure viendra, vos derniers moments seront adoucis par le souvenir de la paix dont vous entourez les miens.

Chancelant et tremblant de tout son grand corps, il sortit lentement de la pièce d'un pas mal assuré.

— Que Dieu nous aide ! dit Holmes après un long silence. Pourquoi le sort joue-t-il de tels tours à de pauvres êtres sans défense ?

---

12. △ **safe,** *sauf, en sécurité ;* **he is safe,** *il est sauf.*
13. **Farewell,** « portez-vous bien, adieu ».
14. « vos propres lits de mort, quand ils viendront » (N.B. présent en anglais dans propositions circonstancielles de temps) « seront plus confortables par la pensée (souvenir) de la paix que vous avez donnée au mien ».
15. **to totter,** *chanceler.*
16. « dans sa charpente gigantesque ».
17. la préposition **from** est rendue par le verbe *sortir,* **to stumble,** *trébucher.*
18. **to play a trick on somebody,** *jouer un tour à quelqu'un.*
19. △ **helpless,** *sans défense, qui fait pitié, à qui personne n'est venu en aide.*
20. **worm,** *ver.*

I never hear [1] of such a case as this that I do not think of Baxter's words [2] and say : "There, but for the grace of God, goes [3] Sherlock holmes."

James McCarthy was acquitted at the Assizes, on the strength [4] of a number of objections which had been drawn out by Holmes, and submitted to the defending counsel [5]. Old Turner lived for seven months after our interview, but he is now dead ; and there is every prospect [6] that the son and daughter may come to live happily together, in ignorance of the black cloud which rests [7] upon their past.

---

1 . ▲ **to hear of,** *entendre parler de,* **to hear from,** *avoir des nouvelles* (lettre) *de quelqu'un.*

2 . Andrew Baxter, philosophe écossais, auteur d'une *Étude sur la nature de l'âme humaine,* 1733.

3 . **there goes so and so,** *voilà un tel ! Ça y est !*

Je n'entends jamais évoquer de telles affaires sans penser aux paroles de Baxter et me dire « Sans la miséricorde de Dieu, Sherlock Holmes suivrait le même chemin ».

James McCarthy fut acquitté aux Assises grâce à un certain nombre d'objections, établies par Holmes et soumises à son avocat. Le vieux Turner vécut encore sept mois après avoir eu cet entretien avec nous. Mais il est mort à présent, et tout semble indiquer que le fils et la fille puissent vivre heureux ensemble, dans l'ignorance du nuage noir qui pèse sur leur passé.

---

4 . « sur la force », d'où *grâce à.*
5 . **counsel for the defence,** *avocat de la défense.*
6 . «il y a toutes les perspectives ».
7 . emploi recherché du v. **to rest.** *demeurer, rester,* le plus souvent, *se reposer.*

Vous avez rencontré en lisant cette nouvelle les expressions anglaises correspondant aux phrases françaises suivantes. Vous en souvenez-vous ?

1. Disposer de deux jours.
2. Je ne sais vraiment pas quoi dire.
3. Le changement vous ferait du bien.
4. Faire les cent pas (aller et venir) sur le quai.
5. Nous avions le wagon à nous seuls (nous étions seuls dans le wagon).
6. Considérer quelque chose comme acquis (comme établi).
7. Aimer le sport, être amateur de sport.
8. Il n'y pensa plus.
9. Dans ces conditions.
10. Témoigner.
11. Il parut surpris de me voir.
12. Il me demanda ce que je faisais là.
13. Autant que je (le) sache.
14. C'est à lui d'en décider.
15. Éveiller les soupçons.
16. Aller chercher du secours.
17. Je n'ai pas eu de difficulté à le reconnaître.
18. Il haussa les épaules.
19. Merci pour ces renseignements.
20. Je lui manque.
21. Un vieil ami de McCarthy.
22. Un gaucher.
23. Devenir la risée de.
24. Je vous enverrai un mot.
25. J'apprécierais vos conseils.
26. Pourquoi souhaitiez-vous me voir ?
27. Je suis heureux de vous l'entendre dire.
28. Ça ne me prendra pas longtemps à raconter.
29. C'était au début des années soixante.
30. Qu'avez-vous l'intention de faire ?

1. To have a couple of days to spare.
2. I really don't know what to say.
3. The change would do you good.
4. To pace up and down the platform.
5. We had the carriage to ourselves.

6. To take something for granted.

7. To be fond of sport.
8. He thought no more of the matter (of it).
9. Under the circumstances.
10. To give evidence.
11. He appeared surprised at seeing me.
12. He asked me what I was doing there.
13. As far as I know.
14. That is for him to decide.
15. To arouse suspicion(s).
16. To go for help.
17. I had no difficulty in recognizing him.
18. He shrugged his shoulders.
19. Thank you for this information.
20. He misses me.
21. An old friend of McCarthy's.
22. A left-handed-man.
23. To become the laughing-stock.
24. I shall drop you a line.
25. I should value you advice.
26. Why did you wish to see me ?
27. I am glad to hear you say so.
28. It will not take me long to tell.
29. It was in the early sixties.
30. What do you intend to do ?

THE FIVE ORANGE PIPS

LES CINQ PÉPINS D'ORANGE

When I glance over [1] my notes and records [2] of the Sherlock Holmes cases between the years '82 and '90, I am faced by so many which present strange and interesting features [3], that it is no easy matter [4] to know which to choose and which to leave. Some [5], however, have already gained publicity through the papers [6], and others have not offered a field for those peculiar qualities [7] which my friend possessed in so high a degree [8], and which it is the object of these papers to illustrate. Some, too, have baffled [9] his analytical skill [10], and would be, as narratives, beginnings without an ending, while others have been but [11] partially cleared up [12], and have their explanations founded rather upon [13] conjecture and surmise [14] than on that absolute logical proof [15] which was so dear to him. There is, however, one of these last which was so remarkable in its details and so starting in its results, that I am tempted to give some account of it, in spite of the fact that there are points in connection with it which never have been, and probably never will be, entirely cleared up.

The year '87 furnished us with [16] a long series [17] of cases of greater or less interest, of which I retain the records.

---

1. **to glance at something,** *jeter un coup d'œil à quelque chose ;* ici, la prép. **over** indique que Watson parcourt, feuillette rapidement l'ensemble des notes et des dossiers.
2. △ **record** ['rekɔːd] *archive, enregistrement, disque, record,* d'où ici, *dossier.*
3. **features,** *traits* (du visage), *caractéristiques,* d'où, *faits.*
4. « ce n'est pas une affaire aisée ».
5. △ **some** sera traduit le plus souvent par *certain.*
6. « ont déjà gagné la publicité grâce aux journaux ».
7. « n'ont pas offert un domaine à ces qualités particulières ».
8. place de l'article indéfini dans la construction **in so high a degree.**
9. **to baffle,** *déconcerter, dérouter ;* it **baffles** me, *cela me renverse.*

110

Lorsque je jette un coup d'œil sur mes notes et mes dossiers se rapportant aux enquêtes menées par Sherlock Holmes entre 1882 et 1890, je suis confronté à un si grand nombre d'entre elles qui présentent des faits étranges et intéressants qu'il n'est pas aisé de savoir lesquelles choisir et lesquelles laisser de côté. Certaines, cependant, ont déjà connu une grande publicité dans les journaux et d'autres n'ont pas offert la possibilité de se révéler aux qualités particulières que possédait mon ami à un si haut degré et que mes écrits ont pour but d'illustrer. Certaines, aussi, ont rebuté ses analyses habiles et seraient, sous forme de récits, des débuts sans conclusions, tandis que d'autres n'ont été qu'en partie élucidées et trouvent leur explication plus dans des conjectures et des présomptions que dans des preuves de cette logique irréfutable qui était si chère à mon ami. Parmi ces dernières, cependant, il en est une qui fut si remarquable par ses détails et si surprenante dans ses résultats que je suis tenté d'en faire la relation, bien que certains points n'aient jamais été élucidés et ne le seront jamais.

L'année 1887 nous offrit une longue série d'affaires de plus ou moins grand intérêt, dont j'ai gardé les dossiers.

---

10. « son habileté analytique » ; **skilled worker,** *ouvrier qualifié.*
11. emploi de **but,** *seulement, ne... que....*
12. **to clear up,** *élucider* ; la postposition **up** indique qu'une action est ou, ici, pourrait être entièrement achevée ; **eat up,** *mange* (tout ce qui est dans ton assiette) ; **drink up,** *finis ton verre.*
13. « ont leurs explications fondées plutôt sur... »
14. **surmise** ('sə:maɪz), *conjecture, hypothèse.*
15. « sur cette preuve logique absolue ».
16. △ construction **to furnish somebody with something,** *fournir quelque chose à quelqu'un* ; **to provide somebody with something,** *fournir quelque chose à quelqu'un.*
17. △ nom singulier d'apparence pluriel... **a series,** *une série.*

Among my headings under this one twelve months [1] I find an account [2] of the adventure [3] of the Paradol Chamber, of the Amateur Mendicant Society [4], who held a luxurious [5] club in the lower vault [6] of a furniture [7] warehouse [8], of the facts connected with the loss of the British [9] barque *Sophy Anderson*, of the singular adventures of the Grice Patersons [10] in the island of Uffa, and finally of the Camberwell poisoning case. In the latter [11], as may be remembered [12], Sherlock Holmes was able, by winding up [13] the dead man's watch, to prove that it had been wound up two hours ago, and that therefore the deceased had gone to bed within that time — a deduction which was of the greatest importance in clearing up the case. All these I may sketch out [14] at some future date [15], but none of them present such singular features as the strange train [16] of circumstances which I have now taken up my pen to describe.

It was in the latter days of September, and the equinoctial gales had set in with exceptional violence. All day the wind had screamed [17] and the rain had beaten against the windows, so that even here in the heart of great, hand-made London we were forced to raise our minds for the instant from the routine of life, and to recognize the presence of those great elemental forces which shriek at mankind [18] through the bars of his civilization, like untamed beasts in a cage.

---

1 . le pl. **twelve months** est considéré comme un nom, ce qui explique le singulier **this ; one** ici a le sens de *unique, seul*.

2 . **account,** *rapport, compte rendu,* d'où, *récit*.

3 . **adventure,** *aventure,* rendu ici par *affaire*.

4 . **Society,** *société* mais surtout *association* (type loi 1901) *à but non lucratif : société* (industrielle ou commerciale) : company (G.B. et U.S), **corporation** (U.S).

5 . **luxury,** *luxe,* adj. **luxurious,** *sérieux ; luxure,* lust.

6 . **vault,** *voûte, cave, chambre forte*.

7 . **furniture,** *le mobilier ; un meuble,* a piece of furniture.

8 . **warehouse,** *entrepôt, dépôt,* wares, *marchandises*.

9 . adj. de nationalité toujours avec majuscule en anglais.

10. les noms propres prennent un s au pl. en anglais.

11. **the latter,** comparatif irrégulier de **late** ; habituellement et correctement utilisé avec **the former** : *celui-ci,... celui-là, le (ce) dernier, ...le premier*.

Parmi les titres retenus pendant cette seule période de douze mois, je retrouve le récit de l'affaire de la Paradol Chamber ; de celle de la Société des Mendiants Amateurs qui possédaient un club luxueux dans la cave la plus basse d'un entrepôt de meubles ; le récit des faits ayant rapport avec la perte du trois-mâts britannique, le *Sophy Anderson*, et celui des aventures étranges des Grice Paterson sur l'île de Uffa ; et enfin le récit de l'empoisonnement de Camberwell. Dans ce dernier, comme on peut s'en souvenir, Sherlock Holmes avait pu, en remontant la montre du défunt, démontrer qu'on l'avait remontée deux heures auparavant et que par conséquent le mort s'était couché pendant cette période, déduction qui fut de la plus grande importance pour élucider cette affaire. Je pourrai brosser toutes ces affaires plus tard, mais aucune ne présente des faits aussi singuliers que le concours de circonstances étranges que ma plume entreprend maintenant de décrire.

C'était vers la fin de septembre et les tempêtes de l'équinoxe étaient arrivées avec une violence extrême. Le vent avait hurlé pendant toute la journée et la pluie avait battu contre les vitres, si bien que même ici au cœur de ce grand Londres, œuvre des hommes, nous devrons pour le moment extraire nos esprits de la routine quotidienne pour reconnaître la présence de ces grandes forces de la nature qui, tels des fauves en cage, assaillent par leurs cris l'humanité à travers les barreaux de la civilisation.

---

12. absence de pronom sujet ; **as regards this...**, *ce qui concerne...*
13. **to wind up** (a watch) *remonter une montre* ; **to wind up** (a company), *liquider une société* ; **to wind up** (a novel, a play), *apporter un dénouement à un roman, une pièce.*
14. **to sketch,** *esquisser, brosser.*
15. « à quelque date future ».
16. **train,** *ensemble, série ; train ;* **train of** thoughts, *association d'idées.*
17. **to scream, to shriek** indiquent des hurlements aigus.
18. **mankind,** *humanité,* **humanity,** *humanité* (valeur morale) ; ici considéré comme un masc. : **his.**

As evening drew in [1] the storm grew louder and louder, and the wind cried [2] and sobbed [3] like a child in the chimney. Sherlock Holmes sat moodily [4] at one side of the fireplace [5] cross-indexing his records of crime [6], whilst [7] I at the other [8] was deep in one of Clark Russell's fine sea stories, until the howl of the gale [9] from without [10] seemed to blend [11] with the text, and the splash [12] of the rain to lengthen out into the long swash [13] of the sea waves. My wife was on a visit to her aunt's [14], and for a few days I was a dweller once more in my old quarters [15] at Baker Street.

"Why [16]", said I, glancing up at my companion, "that was surely the bell ? Who could come to-night ? Some friend of yours, perhaps ?"

"Except yourself I have none," he answered. "I do not encourage visitors."

"A client, then ?"

"If so, it is a serious case. Nothing less would bring a man out on such a day, and at such an hour. But I take it [17] that it is more likely to be some crony of the landlady's."

Sherlock Holmes was wrong in his conjecture, however, for there came a step in the passage, and a tapping at the door. He stretched out his long arm to turn the lamp away from himself and towards the vacant chair [18] upon which a new-comer must sit.

"Come in !" said he.

---

1 . postposition **in** indique l'avancée, l'entrée de la soirée ; **to draw,** tirer, s'étirer.

2 . ▲ **to cry**, ici, pleurer, gémir.

3 . **to sob,** sangloter ; consonne doublée au passé.

4 . **moody,** morose, maussade.

5 . ▲ cheminée, **chimney** (conduit, ensemble), **fireplace** (âtre, foyer), **mantelpiece** (dessus de cheminée).

6 . « ses archives du crime », d'où, dossier.

7 . **whilst,** while, tandis que.

8 . « de l'autre côté », d'où vis-à-vis.

9 . **gale,** tempête, vent.

10. **without**, ici, à l'extérieur ; within, à l'intérieur.

Tandis que la soirée avançait, la tempête devenait de plus en plus violente, le vent dans la cheminée pleurait et sanglotait comme un enfant. Assis près de l'âtre, Sherlock Holmes établissait d'un air morose le répertoire de ses dossiers, tandis que, lui faisant vis-à-vis, j'étais plongé dans une de ces belles histoires de mer, écrites par Russel Clark, jusqu'au moment où le hurlement du vent à l'extérieur sembla ne faire qu'un avec le texte de ma lecture et le battement régulier de la pluie sembla évoquer le long bruit des vagues. Ma femme était allée rendre visite à l'une de ses tantes et j'avais réintégré pendant quelques jours mon ancien domicile de Baker Street.

— Mais ! fis-je en levant les yeux vers mon compagnon, c'est bien la sonnette ? Qui peut venir ce soir ? Un de vos amis, peut-être ?

— En dehors de vous, je n'en ai aucun, répondit-il. Et je n'encourage pas les visites.

— Un client, alors ?

— Dans ce cas, c'est pour une affaire grave. Seule une affaire grave ferait sortir quelqu'un par une pareille journée, à une heure pareille. Mais je pense qu'il s'agit plutôt de quelque amie de notre logeuse.

Toutefois Sherlock Holmes se trompait sur ce point, car il y eut un bruit de pas dans le corridor et l'on tapa à la porte. Étendant son long bras, mon ami déplaça la lampe afin qu'elle le laisse dans la pénombre mais éclaire le fauteuil où s'assiérait le visiteur.

— Entrez ! dit-il.

---

11. **to blend,** *mélanger* (tabac, whisky, thé).
12. **to splash,** bruit et mouvement (onomatopée), *éclabousser.*
13. **swash** (onomatopée), bruit long et répété.
14. **her aunt's** (house, place).
15. « pendant quelques jours j'étais encore une fois un locataire de mon ancien logement ».
16. **why !** exclamation, indiquant ici surprise : *tiens ! mais.*
17. expression **I take it that**..., *je suppose que...*
18. « il étendit son long bras pour enlever la lampe de près de lui et (la mettre) vers le fauteuil vide. »

The man who entered was young, some two-and-twenty at the outside [1], well groomed [2] and trimly clad [3], with something of refinement and delicacy in his bearing [4]. The streaming [5] umbrella which he held in his hand, and his long shining [6] waterproof told of the fierce weather through which he had come. He looked about him anxiously [7] in the glare [8] of the lamp, and I could see that his face was pale and his eyes heavy, like those of a man who is weighed down [9] with some great anxiety [10].

"I owe you an apology [11]," he said, raising his golden pince-nez to his eyes. "I trust [12] that I am not intruding. I fear that I have brought some traces of the storm and the rain into your snug [13] chamber."

"Give me your coat an umbrella," said Holmes. "They may rest here on the hook, and will be dry presently [14]. You have come up from the South-West, I see."

"Yes, from Horsham."

"That clay and chalk mixture which I see upon your toe-caps [15] is quite distinctive."

"I have come for advice [16]."

"That is easily got."

"And help."

"That is not always so easy."

"I have heard of you, Mr Holmes. I heard from [17] Major [18] Prendergast how you saved him in the Tankerville Club Scandal."

"Ah, of course. he was wrongfully [19] accused of [20] cheating [21] at cards."

---

1 . « d'environ vingt-deux (ans) de l'extérieur » ; ⚠ absence unité de temps (ans) avec âge.
2 . **well groomed,** *bien tenu.*
3 . **trim,** *net, propre ;* **clad,** p.p. irrégulier (**to clothe,** *vêtir*) *vêtu.*
4 . **bearing,** *attitude, tenue.*
5 . **streaming,** *ruisselant,* ici.
6 . « brillant » d'où *luisant de pluie.*
7 . **anxious,** *angoissé, impatient.*
8 . ⚠ **glare,** *éclat cru et violent.*
9 . **to weigh down,** *peser, alourdir.*
10. **anxiety** (æŋ'zaɪətɪ) *angoisse.*
11. **apology** (ə'pɔlədʒɪ) *excuse.*
12. **to trust,** *avoir confiance, être sûr,* ici.

116

L'homme qui entra était jeune, vingt-deux ans environ selon son aspect, bien vêtu et d'apparence très soignée, avec un certain raffinement et de la délicatesse dans sa tenue. Le parapluie ruisselant qu'il tenait à la main et son long imperméable luisant de pluie témoignaient du temps épouvantable qu'il avait traversé. Dans la lumière crue de la lampe, il jetait autour de lui des regards anxieux ; je remarquai qu'il avait le visage tout pâle et les yeux battus d'un homme accablé par une vive angoisse.

— Je vous dois des excuses, dit-il tout en chaussant un lorgnon à monture en or. J'espère ne pas être importun. Je crains d'avoir apporté dans cette pièce confortable des traces de la tempête et de la pluie.

— Donnez-moi votre imperméable et votre parapluie, dit Holmes. Ils peuvent rester accrochés là et seront bientôt secs. Vous venez du Sud-Ouest, à ce que je vois.

— Oui, de Horsham.

— Le mélange de craie et d'argile que je vois sur vos chaussures est très caractéristique.

— Je suis venu vous demander conseil.

— C'est facile.

— Et de l'aide.

— Ce n'est pas toujours aussi facile.

— J'ai entendu parler de vous, monsieur Holmes. Le Major Prendergast m'a raconté comment vous l'aviez sauvé du scandale au Club de Tankerville.

— Ah ! oui... On l'avait accusé à tort de tricher aux cartes.

---

13. **snug,** *confortable, chaud, intime.*
14. ▲ **presently,** *bientôt, maintenant* (US).
15. « bouts des chaussures. »
16. ▲**advice,** *conseil,* mais *un conseil,* **a piece of advice.**
17. ▲ **to hear of,** *entendre parler de,* **to hear from somebody,** *recevoir une lettre de quelqu'un ;* ici, *apprendre de la bouche de...*
18. **Major,** *commandant ;* l'usage est de garder le titre militaire britannique.
19. **wrongful,** *injustifié,* d'où **wrongfully,** *à tort.*
20. forme en **-ing** après prép. **of ; to be accused of something,** *être accusé de quelque chose.*
21. **to cheat,** *tricher ;* N.B. prép. **at.**

"He said that you could solve anything."

"He said too much [1]."
"That you are never beaten [2]."
"I have been beaten four times — three times by men and once by a woman."
"But what is that compared with the number of your successes [3] ?"
"It is true that I have been generally successful."

"Then you may be so with me. [4]"
"I beg that you will draw your chair up to the fire [5], and favour me with [6] some details [7] as to your case."
"It is no ordinary one."
"None of those which come to me are [8]. I am the last court of appeal."
"And yet I question, sir, whether [9], in all your experience, you have ever listened to a more mysterious and inexplicable chain of events [10] than those which have happened in my own family."
"You fill me [11] with interest", said Holmes. "Pray [12] give us the essential facts from the commencement [13], and I can afterwards question you as to [14] those details which seem to me to be most important."
The young man pulled his chair up, and pushed his wet feet [15] out towards the blaze [16].
"My name", said he, "is [17] John Openshaw, but my own affairs have, so far as I can understand it, little to do with [18] this awful business.

---

1 . « il en dit trop ».
2 . « que vous n'êtes jamais battu ».
3 . « comparé au nombre de vos réussites. »
4 . « Il se peut donc que vous le soyez avec moi » ; **so** renvoie à **successful**.
5 . formule vieillie. On dirait maintenant, **please, draw your chair near the fire.**
6 . **to favour somebody with something,** *donner, présenter quelque chose à quelqu'un* ; formule recherchée, *faire la faveur...*
7 . **détails.** *détails,* on aurait pu écrire, **particulars.**
8 . « aucune de celles qui viennent à moi ».
9 . **whether,** *si,* hypothèse et non condition qui serait introduite par if.

118

— Il m'a déclaré que vous pouviez résoudre n'importe quel problème.

— Il a exagéré.

— Que vous n'aviez jamais été vaincu.

— J'ai été mis quatre fois en échec... à trois reprises par des hommes, la quatrième par une femme.

— Mais qu'est-ce, en comparaison de toutes vos réussites ?

— Il est exact que j'ai en général eu beaucoup de réussites.

— Ce peut donc être le cas en ce qui me concerne.

— Je vous prie d'approcher votre fauteuil près du feu et de me communiquer les détails de votre affaire.

— Elle n'est pas ordinaire du tout.

— Aucune de celles qui me sont soumises ne l'est. Je suis l'ultime cour d'appel.

— Je doute pourtant, Monsieur, qu'en dépit de toute votre expérience, vous ayiez jamais écouté une série d'événements plus mystérieux et plus inexplicables que ceux advenus à ma propre famille.

— Vous m'emplissez d'intérêt, dit Holmes. Je vous en prie, donnez-nous les faits essentiels depuis le début ; ensuite, je pourrai vous interroger sur les détails qui me semblent les plus importants.

Le jeune homme approcha son fauteuil et exposa ses chaussures mouillées au rayonnement du feu.

— Je m'appelle John Openshaw, dit-il, mais, pour autant que je puisse le comprendre, mes affaires personnelles ont bien peu à voir avec ce drame horrible.

---

10. **a chain of events**, *une chaîne d'événements*, d'où *série*.

11. prép. **with** dans **to fill somebody with**, *remplir quelqu'un de...*

12. forme archaïque : **pray**, devant impératif...

13. **commencement**, archaïque : on aurait maintenant **beginning** ; **commencement** (US), *rentrée solennelle* (université, collège).

14. tournure **as to**..., *en ce qui concerne*.

15. « ses pieds mouillés ».

16. **blaze**, *brasier, feu*.

17. **my name is**..., *je m'appelle*...

18. tournure **this has little to do with**..., *cela a bien peu à voir avec*...

It is a hereditary matter [1], so in order to give you an idea of the facts, I must go back to the commencement of the affair" [2].

You must know that my grandfather had two sons — my uncle Elias and my father Joseph. My father had a small factory at Coventry, which he enlarged at the time of the invention of bicycling. He was the patentee [3] of the Openshaw unbreakable tire, and his business met with such success that he was able to sell it, and to retire [4] upon a handsome competence [5].

My uncle Elias emigrated to [6] America when he was a young man, and became [7] a planter in Florida, where he was reported [8] to have done very well [9]. At the time of the war [10] he fought in Jackson's army, and afterwards under Hood, where he rose to be a colonel [11]. When Lee laid down his arms [12] my uncle returned to his plantation, where he remained for three or four years. About 1869 or 1870 he came back to Europe, and took a small estate [13] in Sussex, near Horsham.

He had made a very considerable fortune in the States, and his reason for leaving them was [14] his aversion to the negroes, and his dislike of the Republican policy in extending the franchise to them [15]. He was a singular man, fierce [16] and quick-tempered [17], very foulmouthed [18] when he was angry, and of a most retiring disposition [19]. During all the years that he lived at Horsham I doubt if ever he set foot in [20] the town.

---

1 . « c'est une affaire héréditaire », d'où, *le passé y intervient*.

2 . **affair,** *affaire, événement.*

3 . **patentee,** *détenteur d'un brevet* ; ▲ **patent,** *brevet ; patente, licence.*

4 . **to retire,** *se retirer (des affaires),* d'où *prendre sa retraite ; retirement, retraite.*

5 . **competence,** *compétence,* ici, *revenus (sens vieilli).*

6 . emploi de la prép. **to** indiquant mouvement.

7 . emploi de l'article indéfini devant un attribut du sujet.

8 . tournure **to be reported,** *être l'objet de rumeurs, de rapports,* d'où : *on disait que...*

9 . **to do (very) well,** *réussir, bien se porter.*

10. **war,** il s'agit de la guerre de Sécession.

11. **colonel** (kə:nl), *colonel.*

Le passé y intervient ; aussi, afin de vous en tracer les faits principaux, il me faut revenir au tout début.

Vous n'ignorez pas que mon grand'père avait deux fils — Elias, mon oncle, et Joseph, mon père. Ce dernier possédait à Coventry une petite usine qu'il agrandit lors de l'invention de la bicyclette. Il avait déposé le brevet du pneu increvable Openshaw et son affaire devint si prospère qu'il put la vendre et se retirer avec de jolies rentes.

Mon oncle Elias émigra en Amérique lorsqu'il était jeune et devint planteur en Floride où on disait qu'il avait réussi. Pendant la guerre de Sécession il combattit dans l'armée de Jackson et ensuite sous les ordres de Hood, où il s'éleva jusqu'au grade de colonel. Lorsque Lee se rendit, mon oncle regagna sa plantation où il demeura trois ou quatre années. Vers 1869 ou 1870, il revint en Europe et acheta un petit domaine dans le Sussex, près de Horsham.

Il avait amassé une très grande fortune aux États-Unis, mais les avait quittés parce qu'il avait les Noirs en aversion et désapprouvait la politique des Républicains qui les avait émancipés. C'était un homme étrange, au tempérament vif et emporté, extrêmement grossier lorsqu'il était en colère et à la fois très effacé. Pendant toutes les années où il vécut à Horsham, je me demande même s'il mit jamais les pieds en ville.

---

12. **to lay down one's arms,** *déposer les armes,* d'où *se rendre.*
13. rappel : **estate,** *domaine, propriété.*
14. « sa raison pour les quitter fut »...
15. « en leur accordant l'émancipation » ; **to extend something to somebody,** *accorder quelque chose à quelqu'un.*
16. **fierce,** *féroce.*
17. adj. composé **quick-tempered,** *un tempérament vif ;* quick, *vif, rapide.*
18. adj. composé **foul-mothed,** *mal embouché, grossier ;* foul language, *langage grossier.*
19. △ **disposition,** *naturel, tempérament, disposition.*
20. expression **to set foot on, in,** *poser le pied sur, mettre les pieds à...*

He had a garden and two or three fields round his house, and there he would [1] take his exercise, though very often for weeks on end [2] he would never leave his room. He drank a great deal of brandy, and smoked very heavily, but he would see no society, and did not want any friends, not even his own brother [3].

He didn't mind me, [4] in fact he took a fancy to [5] me, for at the time when he saw me first I was a youngster [6] of twelve or so [7]. That would be in the year 1878, after he had been eight or nine years in England. He begged my father to let [8] me live with him, and he was very kind to me in his way. When he was sober he used to [9] be fond of playing [10] backgammon and draughts with me, and he would make me his representative both with [11] the servants and with the trades-people, so that by the time that I was sixteen I was quite master of the house.

I kept all the keys, and could go where I liked and do what I liked, so long as I did not disturb him in his privacy [12]. There was one singular exception, however, for he had a single room, a lumber-room [13] up among the attics [14], which was invariably locked [15], and which he would never permit either me or anyone else to enter. With a boy's curiosity I have peeped [16] through the keyhole, but I was never able to see more than such [17] a collection of old trunks and bundles as would be expected in such a room.

---

1 . ∆ emploi de **would** indiquant habitude, rendu par l'imparfait.

2 . tournure **for weeks (days, years) on end,** *pendant des semaines (jours, années) sans discontinuité.*

3 . « il ne voyait aucune société, et ne voulait aucun ami, même pas son frère. »

4 . **dont' mind him,** *sa présence ne m'importune pas, ça ne me fait rien qu'il soit là, que ce soit lui.*

5 . expression **to take a fancy to somebody, something,** *se prendre d'affection pour quelqu'un, avoir envie de quelque chose ;* à rapprocher de **what do you fancy (doing) ?** *Qu'est-ce qui vous ferait plaisir ?*

6 . adj. **young,** *jeune,* **youth,** *jeunesse, un jeune,* **youngster,** *un jeune.*

7 . **twelve or so,** *environ douze ans.*

8 . ∆**to let, I let, let,** *laisser,* d'où *permettre.*

Sa maison était entourée d'un jardin et de deux ou trois champs où il prenait de l'exercice bien que très souvent il ne sortît pas de sa chambre pendant des semaines. Il buvait beaucoup de cognac, fumait beaucoup, mais ne voulait voir personne. Il ne voulait recevoir aucun ami, pas même son frère.

Je ne lui étais pas désagréable, en fait il m'aimait bien, car lorsqu'il me vit pour la première fois j'avais dans les douze ans. Ce devait être en 1878 et il était alors en Angleterre depuis huit ou neuf ans. Il pria mon père de m'autoriser à vivre avec lui et, à sa façon, il se révéla très gentil pour moi. Quand il était sobre, il aimait jouer au jacquet et aux dames avec moi, je le représentais, à sa demande, auprès des domestiques et des fournisseurs, si bien que, à mes seize ans, j'étais en fait le maître de la maison.

Je détenais toutes les clés et pouvais aller où je voulais, faire ce qu'il me plaisait, tant que je ne venais pas troubler son désir de solitude. Il n'y avait pourtant qu'une seule exception, étrange : il y avait une seule pièce, un débarras sous les combles, qui était toujours fermée à clé et où il ne permettait ni à moi ni à personne d'autre d'entrer. Avec une curiosité de gamin, j'ai regardé par le trou de la serrure, mais je ne pus jamais voir rien d'autre que la collection de vieilles malles et de vieux paquets qu'on s'attend à voir dans une telle pièce.

---

9 . △ tournure **used to** indiquant habitude ; cependant ne peut être remplacée par **would** dans tous les cas : **there used to be a tree in the garden, I am not as young as I used to be.**
10. absence de prép. après **to play** (jeux, instruments, sports).
11. « il faisait de moi son représentant auprès de. »
12. « aussi longtemps que je ne le gênais pas dans sa solitude ». △ **privacy** ['privəsi] ou ['praivəsi], mais **private** ['praivit], *privé ;* **privy,** *secret.*
13. **lumber-room,** *pièce de débarras ;* **lumber,** *bric-à-brac.*
14. **attic,** *grenier, mansarde.*
15. **to lock,** *fermer à clé.*
16. **to peep,** *regarder en se cachant,* d'où, *par le trou de la serrure.*
17. tournure **such...as,** *tel...que.*

One day — it was in March, 1883 — a letter with a foreign stamp lay upon the table in front of the Colonel's plate. It was not a common thing for him to receive letters, for his bills [1] were all paid in ready money [2], and he had no friends of any sort. "From India !" said he, as he took it up, "Pondicherry postmark ! What can this be ?" Opening it hurriedly [3], out there [4] jumped five little dried orange pips, which pattered [5] down upon his plate. I began to laugh at this, but the laugh was struck from my lips at the sight of his face [6]. His lip had fallen [7], his eyes were protruding, his skin the colour of putty [8], and he glared at [9] the envelope which he still held in his trembling hand. "K.K.K.," he shrieked [10], and then : "My God, my God, my sins have overtaken me [11]."

"What is it, uncle ?" I cried.

"Death", said he, and rising from the table he retired to his room, leaving me palpitating with horror. I took up the envelope, and saw scrawled [12] in red ink upon the inner flap [13], just above the gum, the letter K three times repeated. There was nothing else save [14] the five dried pips. What could be the reason of his overpowering [15] terror ? I left the breakfast-table, and as I ascended the stairs I met him coming down with an old rusty key, which must have belonged to the attic [16], in one hand, and a small brass [17] box, like a cash box, in the other.

---

1. △ **bill,** *note, facture* ; terme commercial, **invoice.**
2. **to pay in ready money,** ou to pay cash, *payer (au) comptant.*
3. to hurry, *se presser* (**hurry up,** *dépêchez-vous*), d'où, hurried, *pressé,* **hurriedly,** *de manière pressée.*
4. △ tournure **out there jumped**... indiquant la soudaineté de l'action.
5. **to patter,** verbe indiquant un tapotement bref et vif, ici le bruit de pépins desséchés tombant dans une assiette, aussi bruit des pieds nus d'un enfant courant sur un sol carrelé.
6. « mon rire fut stoppé sur mes lèvres à la vue de son visage ».

Un jour, c'était en mars 1883, une lettre avec un timbre étranger était sur la table devant l'assiette du colonel. Il était rare qu'il reçoive des lettres, car il réglait toutes ses factures en liquide et n'avait aucun ami d'aucune sorte. « Ça vient des Indes ! » fit-il en la prenant. « Le cachet est de Pondichéry ! Qu'est-ce que ça peut bien être ? » Il l'ouvrit hâtivement et cinq petits pépins d'orange tout secs tombèrent en tintant dans son assiette. Je me mis à rire devant cet incident, mais mon rire s'arrêta net sur mes lèvres lorsque je vis son visage. Il avait la lippe pendante, les yeux exorbités. Sa peau avait pris une couleur grise tandis qu'il fixait l'enveloppe qu'il tenait toujours d'une main tremblante. « K.K.K. » s'écria-t-il d'une voix stridente ! « Mon Dieu ! Mon Dieu ! mes péchés m'ont rattrapé. »

— Qu'y a-t-il, mon oncle ? m'écriai-je.

— La mort, fit-il, en se levant de table. Il gagna sa pièce et me laissa tout frémissant d'horreur. Je pris l'enveloppe et lus, griffonnée à l'encre rouge sur le rabat juste au-dessus de la colle, la lettre K trois fois répétée. Il n'y avait rien d'autre à l'intérieur que les cinq pépins desséchés. Quelle pouvait bien être la raison de cette terreur qui l'avait saisi ? Je quittai la table du petit déjeuner et, tandis que je montais l'escalier, je le croisais alors qu'il redescendait, tenant d'une main une vieille clé rouillée qui devait venir de la serrure de sa pièce sous les combles et de l'autre une petite boîte de cuivre, une sorte de cassette.

---

7. « sa lèvre (inférieure) était tombée. »
8. **putty** ['pʌti], *mastic ; couleur du mastic,* d'où *grise*.
9. **to glare at something,** *regard fixe* (colère, effroi).
10. **to shriek,** *crier d'une voix perçante.*
11. **to overtake,** *rattraper.*
12. **to scrawl,** *griffonner.*
13. « sur le rabat intérieur ».
14. **save,** *sauf, hormis.*
15. **to overpower,** *vaincre,* « se montre le plus puissant ».
16. « qui devait avoir appartenu à la mansarde ».
17. △ **brass,** *cuivre jaune, laiton ;* **copper,** *cuivre (minerai) rouge.*

"They may do what they like, but I'll checkmate them still," said he, with an oath [1]. "Tell Mary that I shall want a fire in my room to-day, and send down to [2] Fordham, the Horsham lawyer."

I did as he ordered, and when the lawyer [3] arrived I was asked to step up to the room. The fire was burning brightly, and in the grate [4] there was a mass of black, fluffy [5] ashes, as of burned paper, while the brass box stood open and empty beside it. As I glanced at the box, I noticed, with a start [6], that upon the lid were printed the treble [7] K which I had read in the morning upon the envelope.

"I wish you, John," said my uncle, "to witness my will [8].

I leave my estate, with all its advantages and all its disadvantages [9] to my brother, your father, whence [10] it will, no doubt, descend to you. If you can enjoy it in peace, well and good ! If you find you cannot, take my advice [11], my boy, and leave it to your deadliest [12] enemy. I am sorry to give you such a two-edged thing [13], but I can't say what turn things are going to take. Kindly sign [14] the paper where Mr Fordham shows you."

I signed the paper as directed, and the lawyer took it away with him. The singular incident made, as you may think, the deepest impression upon me, and I pondered [15] over it, and turned it every way in my mind without being able to make anything of it [16].

---

1 . △ **oath** [əʊθ], *juron ; serment ;* to take the oath, *prêter serment.*

2 . **to send down to somebody,** *envoyer chercher qqun.*

3 . **lawyer,** *juriste,* d'où *notaire* (plus souvent **solicitor**), *avocat* (US) (plus souvent **barrister**).

4 . **grate,** *grille d'un feu,* mais aussi, *cheminée, feu.*

5 . adj. **fluffy,** *duveteux,* d'où *léger ;* fluff, *duvet.*

6 . to start, *commencer,* mais aussi, *sursauter ;* **a start,** *un sursaut,* to give a start, *faire sursauter.*

7 . **treble,** *triple,* triple.

8 . **will,** *volonté,* d'où, *testament.*

9 . **advantage,** *avantage,* et son contraire, **disadvantage,** *inconvénient,* qui pourrait être **drawback.**

10. △**whence** : from where plus souvent employé, d'où, de même, **hence** : from here, *d'ici,* plus souvent rendu par *de là,* d'où dans une déduction.

— Ils peuvent bien faire ce qu'ils veulent, mais je peux encore les mettre en échec, dit-il avec un juron. Dis à Mary d'allumer un feu dans ma chambre aujourd'hui et envoie chercher Fordham, le notaire de Horsham.

Je fis ce qu'il m'avait ordonné et lorsque le notaire arriva, on me demanda de monter dans la chambre. Le feu flambait dans la cheminée où il y avait un tas de cendres noires et légères comme du papier brûlé, cependant que la cassette, tout près, était ouverte et vide. Jetant un coup d'œil à la cassette, je tressaillis en voyant à l'intérieur du couvercle les trois K que j'avais lu le matin sur l'enveloppe.

— Je veux, John, que tu sois témoin de mon testament, dit mon oncle.

Je lègue mon domaine, avec tous ses avantages et tous ses inconvénients, à mon frère, ton père, de qui tu hériteras, sans aucun doute. Si tu peux en jouir en paix, très bien ! Si tu découvres que cela t'est impossible, suis mon conseil, mon garçon, abandonne tout à ton pire ennemi. Je regrette de te faire un tel cadeau empoisonné, mais je ne peux dire quelle tournure vont prendre les événements. Sois assez bon pour signer le document où M. Fordham te demande de le faire.

Je signai où on me demandait et le notaire emporta le document avec lui. Cet incident étrange, comme vous pouvez l'imaginer, fit sur moi la plus profonde impression ; je retournai dans tous les sens des faits dans mon esprit, tout en les méditant sans pouvoir y rien comprendre.

---

11. ▲ **advice.** *conseil, avis ;* **give me some (your) advice,** *donnez-moi votre avis,* mais **I'd like a piece of advice,** *j'aimerais un conseil.*
12. ▲ **deadly**, adj., *mortel* (coup, ennemi), formé sur **dead** adj. *mort ;* **he has been dead for two years,** *il est mort depuis deux ans* (état), **he died two years ago,** *il est mort il y a deux ans.*
13. « une chose à deux bords » (tranchants), d'où *cadeau empoisonné.*
14. tournure **kindly sign.** *veuillez (soyez assez bon pour) signer ;* **kind,** *gentil, doux, aimable.*
15. **to ponder over something.** *méditer sur quelque* chose.
16. tournure **what do you make of that ?,** *Qu'en pensez-vous ?* « que faites vous de cela ? »

Yet I could not shake [1] off the vague feeling of dread [2] which it left behind it, though the sensation grew less keen as the weeks passed, and nothing happened to disturb the usual routine of our lives. I could see a change in my uncle, however. He drank more than ever [3], and he was less inclined for any sort of society [4]. Most of his time he would spend in his room, with the door locked upon the inside, but sometimes he would emerge in a sort of drunken [5] frenzy and would burst [6] out of the house and tear [7] about the garden with a revolver in his hand, screaming [8] out that he was afraid of no man, and that he was not to be cooped [9] up, like a sheep in a pen, by man [10] or devil.

When these hot fits [11] were over [12], however, he would rush [13] tumultuously in at the door, and lock and bar it behind him, like a man who can brazen it out [14] no longer against the terror which lies at the roots of his soul [15]. At such times I have seen his face even on a cold day, glisten [16] with moisture as though it were [17] new [18] raised from a basin [19].

---

1. **to shake, I shook, shaken,** *secouer, agiter,* to shake hands, *(se) serrer la main ;* ici, **to shake off,** *se débarrasser.*

2. **dread,** *épouvante, effroi.*

3. **more than ever,** *plus que jamais.*

4. △ **society,** *société,* ici compagnie de ses semblables.

5. △ **to drink, I drank, drunk,** *boire ;* **drunken,** *ivre, d'ivrogne ;* he is drunk, *il est ivre ;* he got drunk(en) on whisky, *il s'est enivré avec du whisky,* in a drunken state, *en état d'ivresse.*

6. **to burst, I burst, burst,** *éclater,* d'où, **to burst out,** *sortir brutalement, soudainement, éclater,* he burst out laughing, *il éclata de rire.*

7. △ **to tear** [tɛə], **I tore, torn,** *déchirer, aller à toute allure,* mais tear [tiə], *larme,* he shed tears, *il versa des larmes.*

8. **to scream,** *hurler* (voix aiguë).

9. **to coop,** *enfermer* (animal), **hen coop,** *poulailler.*

Cependant je ne pouvais me débarrasser du sentiment de terreur diffuse que tout cela suscitait, bien que cette sensation perdît de son acuité à mesure que les semaines passèrent, et que rien ne vint troubler la routine habituelle de nos existences. Je perçus pourtant un changement chez mon oncle. Il buvait plus que jamais, et il se montrait moins enclin à voir qui que ce fût. Il passait le plus clair de son temps dans sa chambre, la porte verrouillée de l'intérieur, mais parfois en sortait dans une sorte de délire alcoolique. Il surgissait de la maison pour courir dans tout le jardin, un revolver à la main, en hurlant qu'il ne craignait personne, et qu'il ne se laisserait parquer comme un mouton par aucun homme ou par aucun démon.

Mais quand ces crises violentes cessaient, il se précipitait à l'intérieur, verrouillait et barricadait la porte, comme un homme qui ne pourrait plus braver la terreur qui lui rongeait l'âme. En pareilles occasions, j'ai vu, même par les journées les plus froides, son visage ruisselant de sueur comme s'il venait de le tremper dans une cuvette.

---

10. △ absence d'article devant **man,** *l'homme* (espèce) ; ici cliché, **by man or devil.**
11. **fit,** substantif, *crise, attaque* ; **he had a fit,** *il eut une crise.*
12. **my work is over,** *mon travail est fini.*
13. **to rush** : *se précipiter ;* « il se précipitait à l'intérieur en se jetant sur la porte ».
14. **to brazen it out,** *crâner* ; adj. **brazen,** *de cuivre,* puis *effronté,* **a brazen lie,** *un mensonge effronté.*
15. **soul** [səul], *âme.*
16. **to glisten,** *briller* (éclat humide).
17. emploi du subjonctif après **as though,** *comme si...*
18. △ emploi... de la forme adjectivale **new** avec sens de l'adverbe, à rapprocher de **new laid eggs,** *œufs frais* (« récemment pondus »), **new industrialized countries,** *pays nouvellement industrialisés.*
19. △ prononciation **basin** [ˌbeisn] *bassine, cuvette.*

"Well, to come to an end of the matter, Mr Holmes, and not to abuse [1] your patience, there came a night [2] when he made one of those drunken sallies [3] from which he never came back. We found him, when we went to search [4] for him, face downwards [5] in a little green-scummed [6] pool, which lay at the foot of the garden. There was no sign of any violence, and the water was but two feet deep, so that the jury, having regard to his known eccentricity, brought in [7] a verdict of suicide. But I, who knew how he winced [8] from the very thought of death, had much ado [9] to persuade myself that he had gone out of his way [10] to meet it. The matter passed, however, and my father entered into possession of the estate, and of some fourteen thousand pounds, which lay to his credit at the bank."

"One moment," Holmes interposed. "Your statement is, I foresee, one of the most remarkable to which I have ever listened. Let me have the date of the reception by your uncle of the letter, and the date of his supposed suicide."

---

1 . △ **to abuse** [ə'bju:z], ici *abuser de.*
2 . tournure **there** + verbe : **there came a night,** *il vint une nuit.*
3 . **sally,** *sortie,* action soudaine pour se dégager, ou, ici, *sortie soudaine, boutade, saillie,* he always makes sallies, *il lance toujours des boutades.*
4 . **to search,** *rechercher, fouiller* (quartier, personne), ici, **to search for,** *chercher quelqu'un, quelque chose.*
5 . « visage vers le bas ».
6 . adj. composé **green** + substantif **-ed** ; **scum,** *écume, mousse,* mais aussi the scum of society, *la lie de la société.*

Bref, pour en terminer, monsieur Holmes, et ne pas abuser de votre patience, vint un soir où il sortit dans un de ces états d'ivresse pour ne jamais rentrer. Nous le découvrîmes, après l'avoir cherché, le visage plongé dans une petite mare couverte d'écume verte qui se trouvait au fond du jardin. Il n'y avait aucun signe de violence et l'eau à cet endroit n'avait que deux pieds de profondeur : aussi le jury, tenant compte de sa réputation d'excentricité, rendit-il un verdict de suicide. Mais moi, qui savais combien la seule idée de la mort lui faisait horreur, j'eus bien du mal à me persuader qu'il avait tout fait pour se la donner. Cela passa, pourtant ; mon père entra en possession du domaine et reçut environ quatorze mille livres qui se trouvaient à son crédit à la banque.

— Un instant, intervint Holmes. Votre récit est, je le prévois, l'un des plus intéressants que j'aie jamais écouté. Mais donnez-moi la date de la réception par votre oncle de cette lettre, et aussi celle de son suicide supposé.

---

7 . **to bring in,** *apporter,* ici *rendre* (verdict).

8 . **to wince,** *tressaillir ;* **he winced at the thought,** *il tressaillit à la pensée ;* ici la prép. **from** implique le sens de *reculer, avoir horreur de.*

9 . **ado,** *affairement, agitation,* **he had much ado to,** il *eut beaucoup à faire pour,* d'où, *il fut bien en peine.*

10. **to go out of one's way,** *faire tout son possible,* « *se mettre en quatre* ».

"The letter arrived on March the 10th [1], 1883. His death was seven weeks later, upon the night of the 2nd of May."

"Thank you. Pray proceed."

"When my father took over the Horsham property [2], he, at my request, made a careful examination of the attic, which had been [3] always locked up. We found the brass box there, although its contents had been destroyed. On the inside of the cover was a paper label [4], with the initials K.K.K. repeated upon it, and Letters, memoranda [5], receipts [6] and a register [7] written beneath. These, we presume, indicated the nature of the papers which had been destroyed by Colonel Openshaw [8]. For the rest, there was nothing of much importance [9] in the attic, save a great many [10] scattered [11] papers and note-books bearing upon my uncle's life in America. Some [12] of them were of the war time, and showed that he had done his duty well, and had borne [13] the repute [14] of being a brave soldier. Others were of a date [15] during the reconstruction of the Southern [16] States, and were mostly concerned with politics, for he had evidently taken a strong part in opposing the carpet-bag politicians [17] who had been sent down from the North.

---

1 . ⚠ emploi prép. **(up) on** devant dates avec quantième ; même si on écrit maintenant **one May 10, 1883,** en anglais britannique on lit encore **the tenth,** on entendra en anglais américain **ten.**

2 . **property,** *propriété, biens,* d'où, *domaine ;* **personal property,** *biens mobiliers,* **real property,** *biens immobiliers.*

3 . l'emploi du plus-que-parfait indiquant une durée dans le passé et l'adverbe **always** amènent à traduire par « *était restée fermée à clé* ».

4 . prononciation **label** [‚leibl], *étiquette.*

5 . ⚠ **memorandum,** plur. **memoranda,** *note.*

6 . ⚠ prononciation *receipt* [rɪˈsiːt] *reçu, récépissé.*

7 . **register,** *registre,* d'où, *journal.*

8 . « ceux-ci, nous (le) présumons, indiquaient la nature des papiers qui avaient été détruits par le colonel Openshaw. »

9 . tournure, **nothing of importance,** *rien d'important ;* on pourrait dire **nothing important,** absence de préposition.

132

— La lettre est arrivée le 10 mars 1883. Sa mort est survenue sept semaines plus tard, le soir du 2 mai.

— Merci. Continuez, je vous prie.

— Lorsque mon père entra en possession du domaine de Horsham, sur ma demande, il procéda à un examen soigneux de la mansarde qui était restée fermée à clé. Nous y trouvâmes la cassette, bien que son contenu eût été détruit. Il y avait à l'intérieur du couvercle une étiquette en papier où étaient répétées les initiales K.K.K. et, inscrit dessous, « Lettres, notes, reçus et agenda ». Ces indications, pensons-nous, se rapportaient à la nature des papiers que le colonel Openshaw avait brûlés. Quant au reste, il n'y avait rien d'important, à l'exception d'un grand nombre de documents et de carnets, éparpillés dans la mansarde, et qui avaient un rapport avec le séjour de mon oncle en Amérique. Certains dataient de la Guerre de Sécession et montraient qu'il avait fait tout son devoir et qu'il avait eu la réputation d'être un courageux soldat. D'autres remontaient à la reconstruction des États du Sud, et traitaient surtout de sujets politiques, car il avait pris de toute évidence une grande part à l'opposition que rencontraient les *carpet baggers* envoyés par les États du Nord.

---

10. **a great many...**, *de très nombreux* ; renforcement de **many** par **a great** ou **a good.**
11. **to scatter,** *éparpiller, disperser.*
12. ⚠ **some** devant plur. ou **of** + pronom personnel plur. complément : *certains, certaines.*
13. **to bear, I bore, borne,** *porter* (poids, charge), d'où, **to bear (up) on,** *porter sur* ; **born,** *né, mis au monde,* **when were you born ?** *quand êtes-vous né ?...*
14. **repute** [ri'pju:t], *réputation,* **this is a restaurant of repute,** *c'est un restaurant réputé.*
15. on aurait pu écrire : **dated from,** ou, **dated back to the reconstruction...**
16. ⚠ South [sauθ], **southern** ['sʌðən].
17. **carpet-bag politicians** rendu par **carpet-baggers,** *agents politiques,* venus du Nord pour aider à l'émancipation des Noirs du Sud et ainsi nommés en raison de leur sac de voyage en toile grossière.

Well, it was the beginning of '84, when my father came to live at Horsham, and all went as well as possible with us until the January of '85.

On the fourth day after the New Year [1] I heard my father give a sharp cry of surprise [2] as we sat together at the breakfast-table. There he was, sitting with a newly opened envelope in one hand and five dried orange pips in the outstretched [3] palm of the other one. He had always laughed at [4] what he called my cock-and-bull story [5] about the Colonel, but he looked very puzzled and scared [6] now that the same thing had come upon himself.

"Why, what on earth [7] does this mean, John ?" he stammered [8].

My heart had turned to lead [9].

"It is K.K.K.", said I [10].

He looked inside the envelope.

"So it is [11], he cried. Here are the very letters. But what is this written above them ?"

"Put the papers on the sundial [12]," I read, peeping over his shoulder.

"What papers ? What sundial ?" he asked.

"The sundial in the garden. There is no other," said I ; "but the papers must be those that are destroyed."

"Pooh [13] !" said he, gripping [14] hard at his courage.

---

1 . « le quatrième jour après le Nouvel An, d'où trois jours après le Nouvel An ».

2 . « j'entendis mon père pousser un cri aigu de surprise ».

3 . **out-stretched,** *tendu,* d'où *ouverte.*

4 . **to laugh at something, somebody,** *se moquer de quelque chose, de quelqu'un.*

5 . **a cock-and-bull story,** *histoire passant du coq à l'âne,* d'où, *extravagante.*

6 . **to scare,** *effrayer, épouvanter.*

7 . ▲ **why** ici exprime la surprise, de même que la tournure **what on earth.**

Bref, nous étions au début de l'année 1884, lorsque mon père vint vivre à Horsham, et tout se passa aussi bien que possible pour nous jusqu'en janvier 1885.

Trois jours après le Nouvel An, alors que nous prenions ensemble le petit déjeuner, mon père poussa un cri de surprise. Il était assis, tenant d'une main une enveloppe qu'il venait d'ouvrir, et dans la paume ouverte de l'autre se trouvaient cinq pépins d'orange desséchés. Il s'était toujours moqué de ce qu'il appelait mon extravagante histoire sur le colonel, mais il semblait très intrigué et effrayé maintenant que la même chose lui arrivait.

— Qu'est-ce que cela peut bien signifier, John ? bredouilla-t-il.

Mon cœur était devenu comme du plomb.

— C'est le K.K.K., dis-je.

Il regarda à l'intérieur de l'enveloppe.

— C'est cela, s'écria-t-il. C'est bien les trois lettres. Mais qu'y a-t-il d'écrit au-dessus ?

« Déposez les papiers sur le cadran solaire », déchiffrai-je par-dessus son épaule.

— Quels papiers ? Quel cadran solaire ? demanda-t-il.

— Le cadran solaire du jardin. Il n'y en a pas d'autre, dis-je, mais les papiers doivent être ceux qui ont été brûlés.

— Peuh ! fit-il, en se cramponnant à son courage.

---

8 . **to stammer,** *bégayer, bredouiller.*
9 . ⚠ **lead** (led) *plomb.*
10. inversion du verbe et du sujet.
11. ⚠ emploi de **so** reprenant attribut déjà cité, à rapprocher de I think so, I hope so.
12. **sundial** ['sʌn'daɪəl] *cadran solaire ;* **dial,** *cadran (de tout instrument, montre, téléphone)* d'où **to dial,** *composer un numéro de téléphone, composer.*
13. **Pooh !** interjection exprimant mépris ou indifférence ; **to pooh-pooh,** *repousser avec mépris, ignorer.*
14. **to grip,** *saisir, serrer.*

"We are in a civilized land here, and we can't [1] have tomfoolery [2] of this kind. Where does the thing come from [3] ?"

"From Dundee", I answered, glancing at [4] the postmark [5].

"Some preposterous [6] practical joke [7]," said he. "What have I to do with sundials and papers ? I shall take no notice of [8] such nonsense [9]."

"I should certainly speak to the police [10]," I said.

"And be laughed at for my pains [11]. Nothing of the sort [12]."

"Then let me do so [13]".

"No, I forbid you. I won't have a fuss made over such nonsense [14]."

It was in vain to argue [15] with him, for he [16] was a very obstinate man. I went about [17], however, with a heart which was full of forebodings [18].

On the third day after the coming of the letter my father went from home to visit an old friend of his, Major [19] Freebody, who is in command [20] of one of the forts upon Portsdown Hill. I was glad that he should go, for it seemed to me that he was farther from danger when he was away from home. In that, however, I was in error.

---

1 . △[ka:nt] **can't** = **cannot.**

2 . **tomfoolery,** *stupidité, ânerie, action ou événement stupide.*

3 . △ rejet de la préposition en fin de phrase.

4 . **to glance at,** *regarder rapidement, jeter un coup d'œil.*

5 . **postmark,** *cachet* (de la poste).

6 . **preposterous** [prɪ'pɒstərəs] *absurde, grotesque.*

7 . cliché : **practical joke,** *farce,* traduction renforcée en français.

8 . tournure **to take notice of something,** *noter, remarquer quelque chose.*

9 . △ absence d'article après **such** et devant substantif abstrait ; **nonsense,** *stupidité, non-sens.*

10 . « je devrais certainement parler à la police ».

11 . **for my pains,** *pour la peine que je me serai donnée.*

12 . △ tournure **nothing of the sort,** *rien de cette sorte, jamais de la vie !*

13 . △ **so** reprenant idée, objet ou action déjà cités : « alors, laissez-moi le faire ».

Nous sommes ici dans un pays civilisé où on ne se livre pas à des stupidités de ce genre. D'où peut venir cette lettre ?

— De Dundee, répondis-je, en regardant le cachet de la poste.

— Il s'agit de quelque farce stupide, ajouta-t-il. Qu'ai-je à faire de cadrans solaires et de papiers ? Je ne tiendrai aucun compte de cette imbécillité.

— Je crois que moi j'en parlerais à la police, dis-je.

— Pour me faire rire au nez ? Pas question.

— Alors, laisse-moi m'en charger.

— Non, je te l'interdis. Je ne veux pas faire une histoire d'une pareille sottise.

Il était vain d'engager une discussion avec lui car c'était un homme extrêmement entêté. Je vaquai pourtant à mes occupations, le cœur en proie à de sombres pressentiments.

Trois jours après l'arrivée de la lettre, mon père alla rendre visite à un de ses vieux amis, le commandant Freebody, qui a sous ses ordres la garnison d'un des forts sur la colline de Portsdow. Je fus heureux qu'il se rendît en visite, car il me semblait qu'il était moins en danger lorsqu'il était loin de la maison. C'était là, pourtant, mon erreur.

---

14. « je ne ferai pas faire une histoire sur de telles balivernes ». N.B. tournure **to make a fuss over something,** *faire des histoires au sujet de quelque chose.*

15. **to argue** ['a:gju:] *argumenter, se disputer,* **stop arguing !** *arrête de discuter, ne réponds pas !*

16. ▲ emploi du pronom personnel, **he is an obstinate man,** *c'est un homme obstiné,* **she is a beautiful girl,** *c'est une belle jeune fille.*

17. **to go about,** *aller de-ci de-là, vaquer à ses occupations.*

18. **forebodings,** *pressentiment* (mauvais).

19. **Major,** *commandant* (grade) ; cependant l'usage le fait traduire souvent par *Major.*

20. ▲ **command** [ke'mʌnd], *commandement,* **the chain of command,** *voie hiérarchique,* **the first in command,** *capitaine* (de navire), **the second in command,** *le second ; commande,* **order.**

Upon the second day of his absence I received a telegram from the Major, imploring me to come at once. My father had fallen over one of the deep chalk-pits [1] which abound in the neighbourhood, and was lying senseless, with a shattered skull. I hurried to him, but he passed away [2] without having ever recovered his consciousness.

He had, as it appears, been returning from Fareham in the twilight [3], and as the country was unknown to him [4], and the chalk-pit unfenced, the jury had no hesitation in bringing in a verdict of "Death from accidental causes". Carefully as I examined [5] every fact connected with his death, I was unable to find anything [6] which could suggest the idea of murder. There were no signs of violence, no footmarks, no robbery [7], no record of strangers having been seen upon the roads [8]. And yet I need not tell [9] you that my mind was far from at ease, and that I was wellnigh [10] certain that some foul plot had been woven [11] round him.

"In this sinister way I came into my inheritance. You will ask me why I did not dispose of it [12]? I answer because I was well convinced [13] that our troubles were in some way dependent upon [14] an incident in my uncle's life, and that the danger would be as pressing in one house as in another.

"It was in January '85, that my poor father met his end [15], and two years and eight months have elapsed [16] since then.

---

1 . **chalk-pit,** *carrière de craie ;* pit, *puits, fosse.*

2 . **to pass away,** *rendre l'âme.*

3 . **twilight,** *crépuscule ;* dusk, night fall, *tombée de la nuit.*

4 . « comme la région lui était inconnue ».

5 . construction **carefully as I examined ;** hard as I tried, *j'avais beau essayer.*

6 . négation entraîne emploi de **anything.**

7 . **robbery,** *vol ;* to rob somebody of something, *voler quelque chose à quelqu'un.*

8 . « aucun rapport (concernant) des inconnus ayant été vus sur les routes ».

9 . infinitif sans **to** après **I need.**

10. **wellnigh,** *presque,* forme recherchée ; équivaut ici à **almost ;** nigh (archaïque ou poétique) = **near.**

138

Il était parti depuis deux jours lorsque je reçus un télégramme du commandant, me demandant de venir de toute urgence. Mon père avait fait une chute dans une de ces carrières de craie qui sont nombreuses dans les parages, et n'avait pas repris connaissance, le crâne brisé. Je me rendis en hâte à son chevet, mais il mourut sans avoir recouvré ses sens.

Il était revenu, semble-t-il, de Fareham à la tombée de la nuit, et comme il ne connaissait pas le pays et que la carrière n'était pas clôturée, le jury n'hésita pas à rendre un verdict de « mort accidentelle ». J'eus beau examiner avec soin tous les détails se rattachant à son décès, je fus incapable de trouver quoi que ce fût qui suggérât un meurtre. Il n'y avait aucun indice de violence, aucune empreinte de pas, aucun vol, aucun étranger qui eût été aperçu sur les routes de la région. En dépit de quoi, je n'ai pas besoin de vous dire que j'étais loin de me sentir en sécurité, et que j'étais bien certain qu'un complot infernal avait été monté contre mon père.

C'est de cette sinistre façon que j'entrai en possession de mon héritage. Vous pourriez me demander pourquoi je ne m'en suis pas débarrassé. Je répondrais que j'étais bien convaincu que nos ennuis provenaient d'une manière quelconque d'un incident survenu dans la vie de mon oncle, et que le danger serait aussi pressant dans une demeure ou une autre.

Mon pauvre père trouva la mort en juin 1885, depuis maintenant deux ans et huit mois.

---

11. **to weave** [wi:v], **I wove, woven,** *tisser.*
12. ▲ **to dispose of something,** *se débarrasser de quelque chose.*
13. **to convince** [kən'vɪns], *convaincre.*
14. ⚠ **to depend on something,** *dépendre de quelque chose,* d'où, adj. **dependent upon (on),** mais **independent of.**
15. emploi du prétérit indiquant une action passée, terminée et datée, **to meet one's end,** *rencontrer sa fin.*
16. emploi du *present perfect* **to have** + participe passé indiquant une durée qui dure encore ; **to elapse** [ɪ'læps], *s'écouler,* cf. laps de temps.

During that time I have lived happily at Horsham, and I had begun to hope that this curse [1] had passed away from [2] the family, and that it had ended with the last generation. I had begun to take comfort [3] too soon, however ; yesterday morning the blow fell in the very shape in which it had come upon my father [4]."

The young man took from his waistcoat a crumpled [5] envelope, and, turning to the table [6], he shook out upon [7] it five little dried orange pips.

"This is the envelope," he continued. "The postmark is London-Eastern Division. Within [8] are the very words which were upon my father's last message. "K.K.K." ; and then "Put the papers on the sundial."

"What have you done ?" asked Holmes.

"Nothing."

"Nothing ?"

"To tell the truth [9]" — he sank [10] his face into his thin, white hands — "I have felt helpless [11]. I have felt like one of those poor rabbits when the snake is writhing [12] towards it. I seem to be in the grasp of [13] some resistless, inexorable evil [14], which no foresight and no precautions can guard against [15]."

"Tut ! Tut ! [16]" cried Sherlock Holmes. "You must act, man [17], or you are lost. Nothing but [18] energy can save you. This is no time for despair [19]."

---

1 . **curse** [kə:s] *malédiction, juron, malheur.*

2 . postp. **away** indiquant l'éloignement et prép. **from** indiquant l'endroit d'où s'éloigne l'objet.

3 . **to take comfort,** ici *(re)prendre courage ;* **comfort,** *confort ;* **to comfort somebody,** *consoler quelqu'un.*

4 . « le coup tomba sous la forme même sous laquelle il était tombé sur mon père. »

5 . **waistcoat,** *gilet ;* waist, *taille ;* **to crumple,** *froisser, plier.*

6 . « se tournant vers la table ».

7 . la postp. **out** et la prép. **upon** sont traduits par *faire tomber ;* **to shake, I shook, shaken,** *secouer.*

8 . **within,** *inside, à l'intérieur.*

9 . **to tell the truth,** *dire la vérité.*

10. « il plongea », d'où *cacha.*

Pendant cette période j'ai vécu paisiblement à Horsham et je commençais à espérer que la malédiction avait abandonné notre famille et qu'elle avait atteint son terme avec la précédente génération. Je m'étais rassuré trop tôt, toutefois ; hier matin, le coup m'a frappé exactement de la même façon que mon père.

Le jeune homme sortit d'une poche de son gilet une enveloppe froissée d'où, après l'avoir secouée au-dessus de la table, il fit tomber cinq petits pépins d'orange desséchés.

— Voici l'enveloppe, poursuivit-il, le cachet indique Londres-Est. À l'intérieur se retrouvent les mots mêmes qui étaient dans le dernier message adressé à mon père. « K.K.K. », et ensuite « Déposez les papiers sur le cadran solaire ».

— Qu'avez-vous fait ? demanda Holmes.

— Rien.

— Rien ?

— A dire vrai — il se cacha le visage entre ses mains blanches et fines — je me suis senti sans défense. Je me suis senti comme l'un de ces pauvres lapins fasciné par le serpent qui ondule vers lui. Il me semble être sous l'emprise d'une puissance malveillante, inexorable, à laquelle on ne peut résister, et contre laquelle on ne peut être protégé par aucune prévision, aucune précaution.

— Allons ! Allons ! s'exclama Sherlock Holmes. Il vous faut agir, mon brave, sinon vous êtes perdu. Seule votre énergie peut vous sauver. Ce n'est pas le moment de désespérer.

---

11. **helpless,** *sans défense.*
12. **to writhe** [raið] *se tordre, se tortiller* (douleur) ; *ici onduler.*
13. **to be in the grasp of,** *être dans l'étreinte de,* d'où *être la proie de.*
14. « d'un mal inexorable auquel on ne peut résister ».
15. rejet de la prép. **against** à la fin de la proposition relative ; **foresight,** *prévision.*
16. **tut ! tut** [tʌt], exclamation exprimant désapprobation, rendue par *Allons, allons !*
17. **man,** ici employé pour encourager, réconforter d'où, *mon brave.*
18. **nothing but,** *rien sauf.*
19. **this is no time for** + subst. *ce n'est pas le moment de* + verbe.

"I have seen the police."

"Ah ?"

"But they [1] listened to my story with a smile.

I am convinced that the inspector has formed the opinion that the letters are all practical jokes, and that the deaths of my relations [2] were really accidents, as the jury stated, and were not to be connected [3] with the warnings."

Holmes shook his clenched hands [4] in the air. "Incredible imbecility !" he cried.

"They have, however, allowed [5] me a policeman, who may remain [6] in the house with me."

"Has he come with you to-night ?"

"No. His orders were to stay in the house."

Again Holmes raved [7] in the air.

"Why did you come to me ?" he said ; "and, above all, why did you not [8] come at once ?"

"I did not know. It was only to-day that I spoke to Major Prendergast about my trouble, and was advised [9] by him to come to you."

"It is really two days since [10] you had the letter. We should [11] have acted before this. You have no further [12] evidence [13], I suppose, than that which you have placed before us — no [14] suggestive detail which might help us."

"There is one thing," said John Openshaw. He rummaged [15] in his coat pocket, and drawing out a piece of discoloured, blue-tinted [16] paper, he laid it out upon the table.

---

1 . ∆ **the police,** sg. considéré comme un pl. d'où **they.**

2 . **relation(s),** *parent(s), famille ;* **relative,** *parent ;* **parent(s),** *père,* ou *mère,* ou *parents,*

3 . **were not to be connected,** *ne devraient pas être reliés.*

4 . « secoua ses mains crispées » ; **to clench,** *serrer* (dents, poings) ; *empoigner, serrer quelque chose.*

5 . **to allow** [ə'lau] *permettre, accorder, allouer,* d'où, *allowance* [ə'lauəns], *allocation.*

6 . **to remain,** *demeurer, rester.*

7 . **to rave** [reiv], *divaguer, déraisonner,* ici, *agiter les bras dans tous les sens ;* **he is raving mad,** *il est fou à lier.*

8 . **did you not** contracté dans une langue moins soutenue, **didn't you ;** bien prononcer le second **d** (dis donc...).

9 . ∆ **to advise** [əd'vaiz], *conseiller* mais **advice** [əd'vais], *conseil.*

— J'ai vu la police.

— Ah !

— Mais ils souriaient en écoutant mon récit.

Je suis convaincu que l'inspecteur est arrivé à la conclusion que les lettres sont l'œuvre de mauvais plaisants et que les décès de mon père et de mon oncle ont vraiment été accidentels, comme le jury l'a déclaré, et qu'il n'y a aucun lien avec les lettres d'avertissement.

Holmes leva ses poings serrés au ciel. — Ce n'est pas croyable ! Quelle imbécillité ! s'exclama-t-il.

— On m'a, cependant, donné un agent pour me garder. Il peut rester à la maison avec moi.

— Vous a-t-il accompagné ce soir ?

— Non. Ses ordres sont de rester à la maison.

De nouveau Holmes leva les bras.

— Pourquoi êtes-vous venu me voir ? dit-il, et, surtout, pourquoi n'êtes vous pas venu tout de suite ?

— Je n'en sais rien. Ce n'est qu'aujourd'hui que j'ai parlé de mes ennuis au commandant Prendergast et qu'il m'a conseillé de venir vous voir.

— Cela fait deux jours, en fait, que vous avez reçu la lettre. Nous aurions dû agir avant cette date. Vous n'avez pas d'autre preuve, je suppose, que ce que vous nous avez montré, aucun détail suggestif qui pourrait nous aider ?

— Il y a juste une chose, fit Openshaw. Fouillant dans sa poche, il en sortit un morceau de papier décoloré, d'une teinte bleue, qu'il posa sur la table.

---

10. tournure **it is** + chiffre + unité de temps + **since** : it **is two years since I last saw him,** *il y a deux ans que je l'ai vu pour la dernière fois.*

11. **should** indique ici un devoir, une obligation qu'il aurait été sage d'accomplir.

12. ⚠ **further** comparatif irrégulier de **far** indique notion de supplément, d'additionnel.

13. absence d'article ; **evidence,** *la preuve ; une preuve,* **a piece of evidence.**

14. *le tiret,* **dash,** correspond soit à notre *virgule* soit à nos *deux points.*

15. **to rummage** [ˌrʌmidʒ], *fouiller, farfouiller.*

16. adj. composé **blue-tinted,** *d'une teinte bleue.*

"I have some remembrance [1]," said he, "that on the day when [2] my uncle burned the papers I observed [3] that the small, unburned margins [4] which lay amid the ashes were of this particular [5] colour. I found this single sheet [6] upon the floor of his room, and I am inclined to think that it may be one of the papers which had, perhaps, fluttered [7] out from among [8] the others, and in that way escaped destruction. Beyond [9] the mention of pips, I do not see that it helps us much. I think myself that it is a page from some private diary [10]. The writing is undoubtedly my uncle's.

Holmes moved the lamp, and we both [11] bent [12] over the sheet of paper, which showed by its ragged edge that it had indeed been torn from a book [13]. It was headed [14] "March, 1869," and beneath were the following enigmatical notices :

"4th. Hudson came. Same old platform [15].

"7th. Set the pips on McCauley [16], Paramore, and Swain of St Augustine.

"9th. McCauley cleared.

"10th. John Swain cleared.

"12th. Visited Paramore. All well."

"Thank you ! said Holmes, folding [17] up the paper and returning it to our visitor.

And now you must on no account [18] lose [19] another instant.

---

1 . to remember something, *se souvenir de quelque chose ;* **remembrance,** *souvenir,* recollection, memory ; ▲ souvenir, *souvenir* (objet, cf. souvenir de Paris).

2 . « le jour quand mon oncle... »

3 . ▲ prononciation, **to observe** [əb'zɔːv] *observer.*

4 . **margin,** *marge, bord.*

5 . **particular,** *particulier.*

6 . ▲ **sheet** [ʃiːt], *feuille ;* leaf (-ves), *feuille.*

7 . **to flutter,** *voleter, voler.*

8 . précision apportée par la postp. **out** et les prép. **from among.**

9 . **beyond,** *au-delà,* d'où ici *hormis.*

10. **diary,** *journal, agenda ;* **agenda,** *ordre du jour* (assemblée).

11. place de **both** après pronom.

144

— J'ai souvenance, dit-il, que, le jour où mon oncle a brûlé ses papiers, j'ai remarqué que les petits bords des feuilles qui n'avaient pas brûlé et qui étaient dans les cendres avaient cette même couleur. J'ai trouvé cette seule feuille sur le sol de sa chambre qui peut-être s'était envolée du reste et avait ainsi échappé au feu. Hormis la mention des pépins, je ne vois pas en quoi elle peut nous aider beaucoup. Je pense quant à moi qu'il s'agit d'une page venant d'un journal que tenait mon oncle, car c'est sans aucun doute son écriture.

Holmes approcha la lampe et nous nous penchâmes tous deux sur le papier dont le bord irrégulier montrait qu'il avait été arraché d'un carnet. En haut de la page, on lisait « mars 1869 » et en dessous les notes énigmatiques suivantes :

« Le 4. Visite de Hudson. Même vieille plate-forme.

« Le 7. Envoyé les pépins de McCauley, Paramore et Swain de St Augustin.

« Le 9. McCauley est parti.

« Le 10. John Swain est parti.

« Le 12. Rendu visite à Paramore. Tout est bien. »

— Merci ! dit Holmes ; après avoir plié le papier, il le rendit à son visiteur.

Et maintenant, vous ne devez en aucune sorte perdre un seul instant.

---

12. **to bend, I bent, bent,** *se pencher.*

13. « qui montrait par son bord irrégulier qu'elle avait été arrachée d'un carnet ». ∆ prononciation **ragged** ['rægɪd], *irrégulier, dentelé ;* **rag,** *chiffon.*

14. « elle portait l'en-tête ».

15. ∆ **platform,** ici *plate-forme* (politique).

16. ∆ prononciation des patronymes écossais **McCauley,** [mə'kɔ:lɪ] ; **MacMillan** [mək'milən] ; le préfixe Mc ou Mac est le plus souvent prononcé [mə:k].

17. **to fold,** *plier ;* subst. **fold,** *pli ;* **crease,** *pli de pantalon.*

18. tournure **on no account,** *en aucune façon, absolument pas.*

19. ∆ **to lose, I lost, lost,** *perdre ;* **loss** [lɔs] *perte ;* **loose** [lu:s], *lâche, relâché, détaché.*

We cannot spare [1] time even to discuss what you have told me. You must get home instantly, and act."

"What shall I do ?"

"There is but one thing to do. It must be done at once. You must put this piece of paper which you have shown us [2] into the brass box which you have described. You must also put in a note to say that all the other papers were burned by your uncle, and that this is the only one which remains. You must assert [3] that in such words as will carry conviction with them [4]. Having done this, you must at once put the box out upon the sundial, as directed. Do you understand ?"

"Entirely."

"Do not [5] think of [6] revenge [7], or anything of the sort [8], at present [9]. I think that we may gain that by means [10] of the law ; but we have our web [11], to weave, while theirs is already woven. The first consideration is to remove [12] the pressing danger which threatens you. The second is to clear up the mystery, and to punish the guilty [13] parties [14]."

"I thank you," said the young man, rising, and pulling on his overcoat. You have given me fresh [15] life and hope. I shall certainly do as you advise."

---

1. **to spare,** *épargner, mettre de côté,* **can you spare some time ?** *pouvez-vous m'accorder un instant ?* **spare wheel,** *roue de secours ;* **spare parts,** *pièces de rechange,* souvent abrégé en **spares.**
2. construction des compléments : **to show somebody something,** ou **to show something to somebody,** *montrer quelque chose à quelqu'un ;* la même construction se retrouve avec **to give, to offer, to teach, to write.**
3. **to assert** [ə'sə:t], *affirmer.*
4. construction **in such... as,** « rédigé en des termes tels qu'ils emporteront la conviction avec eux ».
5. **do not** deviendrait **don't** dans une langue moins élevée, mais l'aspect emphatique serait perdu.

Nous ne pouvons perdre aucune minute, même pour discuter de ce que vous nous avez raconté. Vous devrez rentrer chez vous sur-le-champ et agir.

— Que dois-je faire ?

— Il n'y a qu'une chose à faire. Vous devez mettre ce morceau de papier que vous nous avez montré dans la boîte en cuivre que vous avez décrite. Vous devez aussi y mettre une note expliquant que tous les autres documents ont été brûlés par votre oncle, et que c'est le seul qui subsiste. Vous devez affirmer cela en des termes qui seront la conviction même. Ensuite, vous devez immédiatement déposer la boîte comme on vous le demande, sur le cadran solaire. Vous avez compris ?

— Oui, très bien.

— Ne pensez pas à vous venger, ou à faire quoi que ce soit de ce genre, pour l'instant. Je crois que nous arriverons à ce but par des voies légales, mais il nous faut tisser notre trame, alors que les autres ont déjà tissé la leur. Le premier objectif à considérer est d'éliminer le danger immédiat qui vous menace. Le second est d'éclaircir ce mystère et de punir les coupables.

— Je vous remercie, dit le jeune homme, en se levant et en remettant son imperméable. Vous m'avez redonné vie et espoir. Je ferai, soyez-en sûr, comme vous me conseillez.

---

6 . emploi de **of** après le v. **to think.**

7 . **revenge,** *vengeance.*

8 . renforcement de la négation ou semi-négation : **nothing of the sort.**

9 . **at present,** *actuellement.*

10. ⚠ **means,** *moyen.*

11. **web,** *tissus,* d'où *filet.*

12. ⚠ **to remove** [rɪ'muːv] *enlever.*

13. **guilty,** *coupable.*

14. **party,** ici, *partie, individu ;* **third party insurance,** *assurance au tiers.*

15. ⚠ **fresh,** *nouveau, frais,* d'où *(re)donner vie et espoir ;* **fresh water,** *eau pure,* **fresh air,** *air pur.*

"Do not lose an instant. And, above all, take care of yourself [1] in the meanwhile [2], for I do not think that there can be a doubt that you are threatened by a very real and imminent danger. How do you go back ?"

"By train from Waterloo."

"It is not yet nine [3]. The streets will be crowded, so I trust [4] that you may be in safety [5]. And yet you cannot guard yourself too closely [6]."

"I am armed."

"That is well. To-morrow I shall set to [7] work upon your case."

"I shall see you at Horsham, then ?"

"No, your secret lies in London. It is there that I shall seek [8] it."

"Then I shall call upon [9] you in a day, or in two days, with news as to the box and the papers. I shall take your advice in every particular [10]". He shook hands [11] with us, and took his leave [12]. Outside the wind still screamed, ant the rain splashed and pattered against the windows. This strange, wild story seemed to have come to us from amid [13] the mad elements — blown in upon us like a sheet of seaweed [14] in a gale — and now to have been reabsorbed by them once more.

---

1 . **to take care of oneself,** *faire attention à soi ;* expression souvent utilisée en guise d'adieu : **take care.**

2 . **meanwhile,** *pendant ce temps ;* **in the meanwhile,** *entre-temps, pendant ce temps.*

3 . ▲ âge, heure, les unités sont souvent omises ; **he is twenty (years old),** *il a vingt ans,* **it is twelve (o'clock),** *il est midi.*

4 . **to trust,** *avoir confiance ;* **in God we trust,** devise qui se lit sur les pièces de monnaie américaines ; **trustee,** personne à qui confiance est faite pour l'administration d'une fondation (trust), d'où, *administrateur.*

5 . ▲ **safety,** *sécurité* (physique) ; **security,** *sécurité* (au sens de garantie, protection).

6 . ▲ prononciation **close** [kləus], *proche, de près, tout près ;* **closely** ['kləuslɪ], *de manière rapprochée, proche.*

— Ne perdez pas un instant. Et, avant tout, prenez soin de vous entre-temps car je ne crois pas qu'il y ait le moindre doute que vous soyez menacé d'un danger immédiat et très réel. Comment repartez-vous ?

— Par le train, à la gare de Waterloo.

— Il n'est pas encore neuf heures. Il y a du monde dans les rues, ce qui, j'en suis certain, vous assure la sécurité. Cependant, vous ne pouvez pas être trop sur vos gardes.

— Je suis armé.

— Très bien. Demain je m'occupe de votre affaire.

— Je vous verrai à Horsham, alors ?

— Non, votre secret se trouve à Londres. C'est là que je le chercherai.

— Je viendrai donc vous voir dans un ou deux jours, avec des nouvelles de la boîte et des documents. Je suivrai votre conseil sur tous les points. — Il nous serra la main et prit congé. Dehors le vent hurlait et la pluie battait et fouettait les vitres. Ce récit étrange et terrible semblait être venu jusqu'à nous après être sorti des éléments déchaînés, apporté comme une poignée d'algues par la tempête jusqu'à nos pieds, et remporté par les mêmes éléments.

---

7 . tournure **to set to,** *se mettre à.*

8 . **to seek** [si:k], **I sought, sought,** *chercher, rechercher.*

9 . ⚠ **to call (up) on somebody,** *rendre visite à quelqu'un ;* mais **to call somebody,** *appeler quelqu'un au téléphone.*

10. **in every particular,** *sur chaque point, sur tous les détails ;* **I'll like a few particulars about...** *j'aimerais quelques renseignements.*

11. **to shake hands,** *serrer la main de ;* geste inhabituel entre amis, sauf dans ce cas de forte émotion ou lors d'un grand départ ; et lorsqu'on vous présente à quelqu'un : **How do you do ? How do you do ?**

12. tournure **to take one's leave,** *prendre congé.*

13. **amid** = **in the middle of.**

14. **seaweed,** *algue.*

Sherlock Holmes sat [1] for some time in silence with his head sunk forward, and his eyes bent upon [2] the red glow [3] of the fire. Then he lit [4] his pipe, and leaning back in his chair he watched the blue smoke rings as they chased each other up to the ceiling [5].

"I think, Watson," he remarked at last, "that of all our cases we have had none more fantastic than this."

"Save, perhaps, the Sign of Four."

"Well, yes. Save, perhaps, that. And yet this John Openshaw seems to me to be walking amid even greater perils than did the Sholtos."

"But have you," I asked, "formed any definite conception as to [6] what these perils are ?"

"There can be no question as to their nature," he answered.

"Then what are they ? Who is this K.K.K., and why does he pursue [7] this unhappy family ?"

Sherlock Holmes closed his eyes, and placed his elbows upon the arms of his chair, with his fingertips together [8]. "The ideal reasoner", he remarked, "would, when he has once been shown a single fact in all its bearings [9], deduce from it not only all the chain of events which led up to it, but also all the results which would follow from it.

As Cuvier could correctly describe [10] a whole [11] animal by the contemplation [12] of a single bone, so the observer who has thoroughly [13] understood one link in a series [14] of incidents, should be able accurately [15] to state all the other ones [16], both before and after.

---

1 . v. d'état employé sans postp. indique durée de l'état. **S. H. sat**, *S.H. demeura assis*, **stood**, *demeura debout*, **lay**, *demeura étendu*, mais **sat down**, *s'assit*, **stood up**, *se leva*, **lay down**, *se coucha*.

2 . « les yeux fixés sur » ; N.B. emploi des adj. possessifs devant les différentes parties du corps ; **to be bent upon** + subst ou forme en **-ing**, *être résolu à, ne penser qu'à.*

3 . « rougeoiement ».

4 . **to light, I lighted** ou **lit, lighted** ou **lit**, *allumer.*

5 . « tandis qu'ils se chassaient en montant au plafond ».

6 . tournure **as to**, *en ce qui concerne.*

7 . **to pursue**, *poursuivre*, d'où *s'acharner sur.*

8 . « avec l'extrémité de ses doigts ensemble ».

Sherlock Holmes demeura silencieux quelque temps, assis, la tête penchée en avant, le regard fixé sur les tisons de l'âtre. Puis il alluma sa pipe et se renversant sur le dossier de son fauteuil il regarda les anneaux de fumée bleue se pourchasser vers le plafond.

— Je pense, Watson, finit-il par remarquer, que, de toutes nos affaires, nous n'en avons eu aucune aussi fantastique que celle-ci.

— Sauf, peut-être, celle du Signe des Quatre.

— En effet, oui... Sauf, peut-être, celle-là. Et pourtant John Openshaw me semble se déplacer au milieu de bien plus grands dangers que les Sholto.

— Mais, demandai-je, en êtes-vous arrivé à vous faire une idée précise de la nature de ces dangers ?

— Il ne peut y avoir de doute sur leur nature, répondit-il.

— Alors, que sont-ils exactement ? Qui est-ce K.K.K. et pourquoi s'acharne-t-il contre cette malheureuse famille ?

Sherlock Holmes ferma les yeux et, posant les coudes sur les bras du fauteuil, joignit les extrémités de ses doigts. — Le logicien idéal, remarqua-t-il, lorsqu'un seul fait lui a été présenté sous tous ses aspects, devrait être en mesure de déduire de ce seul fait, non seulement toute la chaîne d'événements qui y a mené, mais aussi tous les effets qui en découleront.

De même que Cuvier pouvait donner une description exacte de tout un animal après avoir étudié un seul os, l'observateur qui a pleinement compris un maillon dans une série d'incidents devrait être en mesure d'établir la nature précise de tous les autres, qui l'ont précédé ou qui l'ont suivi.

---

9. **bearings,** *direction ;* to bear right, *aller à droite,* en fait, *aller à tribord,* to bear left, *aller à bâbord ;* to take one's bearings, *faire le point* (en mer), to lose one's bearings, *ne plus savoir où on se trouve, avoir perdu son chemin,* ici, *aspects.*

10. « pouvait décrire correctement ».

11. **whole,** *tout, entier,* adj. ; **the whole,** subst., *l'ensemble.*

12. « par la contemplation », d'où, *après avoir étudié.*

13. **thoroughly** ['θʌrəli], *à fond, complètement.*

14. **a series,** *une série ;* aspect pl. de ce sg.

15. Δ prononciation **accurate** ['ækjurit], *précis.*

16. Δ **ones** renvoie à **link,** *maillon.*

151

We have not yet grasped the results which the reason alone [1] can attain to [2]. Problems may be solved in the study [3] which have baffled all those who have sought a solution by the aid of their senses. To carry the art, however, to its highest pitch [4], it is necessary that the reasoner [5] should be able to utilize all the facts which have come to his knowledge, and this in itself implies [6], as you will readily [7] see, a possession of all knowledge [8], which, even in these days of free education and encyclopaedias [9], is a somewhat rare accomplishment [10]. It is not so impossible, however, that a man should possess all knowledge which is likely to be useful to him in his work, and this I have endeavoured in my case to do. If I remember rightly, you on one occasion, in the early days of our friendship, defined my limits in a very precise fashion."

"Yes." I answered, laughing. "It was a singular document. Philosophy, astronomy, and politics [11] were marked at zero, I remember.

Botany variable, geology profound [12] as regards [13] the mudstains [14] from any region within fifty miles of town [15], chemistry eccentric, anatomy unsystematic [16], sensational literature [17] and crime records unique [18], violin player, boxer, swordsman [19], lawyer, and self-poisoner by cocaine and tobacco. Those, I think, were the main points of my analysis."

---

1. ∆ place de **alone.** *seul ;* toujours employé comme attribut ; à rapprocher de **awake,** *éveillé,* **asleep,** *endormi,* **ajar,** *entrouvert, entrebâillé.*
2. rejet de la prép. en fin de phrase.
3. **study.** *étude(s)* et *bureau.*
4. **pitch.** *degré, point.*
5. **reasoner.** *raisonneur,* aspect péjoratif en français, mieux rendu par *logicien.*
6. « et cela en soi-même implique ».
7. **readily.** *de bon cœur, aisément.*
8. **knowledge.** *connaissance,* rendu ici par *sciences.*
9. ∆ prononciation **encyclop(a)edia** [enˈsaikləʊpiːdjə].
10. « est une œuvre (réalisation) quelque peu rare ».
11. ∆ **politics.** *science(s) politique(s) ;* **policy,** politique (suivie par un pays, une personne), *police* (assurance).

Nous n'avons pas encore saisi les résultats auxquels peut atteindre notre seule raison. Des problèmes peuvent être résolus dans le cadre d'un bureau alors qu'ils ont tenu en échec tous ceux qui ont cherché les solutions à l'aide de leurs sens. Toutefois, pour porter cet art à son plus haut degré, il est nécessaire que le logicien soit capable d'utiliser tous les faits dont il a eu connaissance, ce qui implique, comme vous vous en rendez bien sûr compte, la maîtrise de toutes sciences ; or cela, même en notre époque d'enseignement gratuit et d'encyclopédisme, est assez rarement réalisé. Il n'est cependant pas impossible qu'un homme possède toutes les sciences qui peuvent se révéler utiles pour la réalisation de sa tâche ; c'est ce que je me suis efforcé personnellement de faire. Si j'ai bonne mémoire, vous avez, en une certaine occasion, tout au début de notre amitié, défini mes limites d'une manière très précise.

— Oui, fis-je en riant. C'était un document peu banal. Je me souviens que vous aviez obtenu zéro en philosophie, en astronomie et en politique.

Vos connaissances en botanique étaient variables, profondes en géologie en ce qui concerne les taches de boue provenant de n'importe quelle région dans un rayon de soixante-quinze kilomètres autour de Londres. Vous vous montriez excentrique en chimie, dépourvu de méthode en anatomie, sensationnel en littérature et inégalable en histoire criminelle. Vous saviez jouer du violon, boxer, vous pratiquiez le sabre, connaissiez le droit et vous intoxiquiez en usant de la cocaïne et du tabac. Voilà, je crois, quels étaient les principaux points de mon analyse.

---

12. « botanique variable, géologie profonde ».
13. tournure **as regards,** *en ce qui concerne,* en fait **as it regards** + complément, à rapprocher de **with regard to, as far as... is (are) concerned.**
14. **mudstain,** *tache de boue.*
15. ici **town,** *ville,* Londres.
16. « sans système ».
17. orthographe de **literature,** *littérature.*
18. ⚠ prononciation **unique** [juːˈniːk] *unique.*
19. ⚠ prononciation **swordsman** [ˈsɔːdzmən] ; **sword** [sɔːd], *épée, sabre* ; N.B. **sportsman,** *sportif* (substantif), **salesman,** *vendeur.*

Holmes grinned [1] at the last item [2].

"Well," he said, "I say now, as I said then, that a [3] man should keep his little brain attic [4] stocked with all the furniture [5] that he is likely to use, and the rest he can put away [6] in the lumber-room of his library [7], where he can get if if he wants it. Now, for such a case as the one which has been submitted to us to-night, we need certainly to muster [8] all our resources. Kindly hand me down the letter K of the American Encyclopedia which stands upon the shelf [9] beside you. Thank you. Now let us consider the situation, and see what may be deduced from it. In the first place, we may start with a strong presumption that Colonel Openshaw had some very strong reason for leaving America. Men at his time of life do not change all their habits [10], and exchange willingly [11] the charming climate of Florida for [12] the lonely life of an English provincial town.

His extreme love of solitude in England [13] suggests the idea that he was in fear of someone or something, so we may assume as a working hypothesis [14] that it was fear of someone or something which drove him from America.

---

1. **to grin,** sourire, grimacer.
2. **item,** article, point, d'où remarque.
3. emploi de l'article indéfini dans généralité où en français il y aura soit l'article défini soit un adjectif indéfini : tout(e), n'importe quel(le) ; **take a man who has...,** prenez l'homme qui a...
4. « sa petite mansarde de son cerveau. »
5. **furniture,** mobilier, meubles ; un meuble, **a piece of furniture.**
6. **to put away,** mettre de côté, ranger.
7. ▲ **library,** bibliothèque (pièce) ; **bookcase,** bibliothèque (meuble) ; **reading-room, library,** bibliothèque (université) ; **bookshop,** librairie.

Mon ultime remarque fit sourire Holmes.

— Eh bien, déclara-t-il, je vous dirai maintenant, comme je vous ai dit alors, que tout homme devrait garder en stock dans la petite mansarde de son cerveau tout le mobilier dont il peut avoir besoin, quant au reste il peut le mettre dans la pièce de débarras que constitue sa bibliothèque où il peut le sortir s'il en a besoin. Maintenant, en ce qui concerne une affaire comme celle qui nous a été soumise ce soir, il nous faut certainement rassembler toutes nos ressources. Passez-moi, je vous prie, la lettre K de l'encyclopédie américaine qui se trouve sur l'étagère à côté de vous. Merci. Maintenant, examinons la situation et voyons ce que nous pouvons en déduire. Tout d'abord, nous pouvons partir de la présomption presque certaine que le colonel Openshaw avait de très fortes raisons de quitter l'Amérique. A l'âge qu'il avait, les hommes ne changent pas toutes leurs habitudes pour troquer de plein gré le doux climat de la Floride contre une existence solitaire dans une ville de province en Angleterre.

Son amour extrême de la solitude lorsqu'il était en Angleterre suggère qu'il redoutait quelqu'un ou quelque chose. Aussi pouvons-nous prendre comme hypothèse de travail que c'est la crainte d'une personne ou d'un événement qui l'a fait partir d'Amérique.

---

8 . **to muster,** *rassembler* (troupes, énergie, efforts).
9 . **shelf,** pluriel **shelves,** *étagère, rayon.*
10. ▲ **habit,** *habitude.*
11. **willingly,** *volontairement, de plein gré.*
12. prép. **for,** *après,* **to exchange something for something,** *échanger quelque chose contre quelque chose ;* **to barter something, to truck something for something,** *troquer quelque chose contre quelque chose.*
13. « en Angleterre », rendu par, *lorsqu'il était en Angleterre.*
14. **working hypothesis,** *hypothèse de travail ;* **working conditions,** *conditions de travail ;* **working population,** *population active.*

As to what [1] it was he feared, we can only deduce that [2] by considering [3] the formidable [4] letters which were received by himself and his successors [5]. Did you remark the postmarks of those letters ?"

"The first was from Pondicherry, the second from Dundee, and the third from London."

"From East London. What do you deduce from that ?"

"They are all seaports. That the writer was on board [6] a ship."

"Excellent. We have already a clue [7]. There can be no doubt that the probability — the strong probability — is that the writer was on board of a ship. And now let us consider another point. In the case of Pondicherry seven weeks elapsed between the threat and its fulfilment [8], in Dundee it was only some three or four days. Does that suggest anything ?"

"A greater distance to travel."

"But the letter had also a greater distance to come."

"Then I do not see the point [9]."

"There is at least a presumption that the vessel in which the man or men are is a sailing ship [10]. It looks as if [11] they always sent their singular warning or token [12] before them when starting upon their mission [13]. You see how quickly the deed followed the sign when it came from Dundee. If they had come from Pondicherry in a steamer [14] they would have arrived almost as soon as [15] their letter.

---

1 . **what,** ce que.

2 . **that,** cela, ici : le.

3 . « en considérant ».

4 . **formidable,** effrayant, terrible.

5 . « qui furent reçues par lui-même et par ses successeurs ».

6 . **on board,** à bord.

7 . **a clue,** un indice ; I **haven't a clue,** je n'ai aucune idée, je n'en sais rien.

8 . **to fulfil,** accomplir, remplir (devoir) ; **fulfilment,** accomplissement ; fulfill, fulfillment (U.S.)

En ce qui concerne l'objet de ses craintes, nous ne pouvons le déduire qu'en nous penchant sur ces lettres effrayantes qui furent envoyées à lui-même et à ses successeurs. Avez-vous noté les cachets de ces lettres ?

— La première fut envoyée de Pondichéry, la deuxième de Dundee, et la troisième de Londres.

— De Londres Est. Qu'en déduisez-vous ?

— Toutes ces villes sont des ports de mer. Celui qui les a écrites devait être à bord d'un bateau.

— Excellent. Nous avons donc un indice. Il ne fait aucun doute que cette probabilité, cette forte probabilité, est donc que celui qui a écrit les lettres était à bord d'un bateau. Examinons maintenant un autre détail. En ce qui concerne Pondichéry, sept semaines se sont écoulées entre la menace et son accomplissement, pour Dundee l'intervalle n'a été que de trois à quatre jours. Cela vous suggère-t-il quelque chose ?

— Un plus grand trajet à parcourir.

— Mais la lettre avait aussi un plus grand trajet à parcourir.

— Je ne vois donc pas...

— On peut au moins supposer que le bateau sur lequel voyage cet homme, ou ces hommes, est un voilier. Il semble qu'ils aient toujours envoyé leur étrange avertissement ou signe avant de s'embarquer eux-mêmes pour leur mission. Voyez combien l'action a rapidement suivi la lettre lorsque cette dernière fut envoyée de Dundee. S'ils étaient venus de Pondichéry à bord d'un vapeur, ils seraient arrivés presque en même temps que leur lettre.

---

9 : « alors je ne vois pas le point », d'où *je ne vois donc pas*...

10. **sailing ship** (G.B.), *bateau à voile, voilier ;* **sail ship** (U.S.).

11. **it looks as if,** *il semble que*...

12. **token,** *signe, symbole, jeton ;* **accept this as a token of friendship,** *acceptez cela en signe d'amitié.*

13. « avant eux lorsqu'ils partaient pour leur mission ».

14. steam, *vapeur ;* **steamer,** (bateau à) *vapeur.*

15. **as soon as,** *aussitôt que,* d'où *en même temps que.*

But as a matter of fact [1] seven weeks elapsed [2]. I think that those seven weeks represented the difference between the mail boat [3] which brought the letter, and the sailing vessel [4] which brought the writer."

"It is possible."

"More than that. It is probable. And now you see the deadly [5] urgency of this new case, and why I urged young Openshaw to caution [6]. The blow has always fallen at the end of the time which it would take [7] the senders to travel the distance. But this one comes from London, and therefore we cannot count upon [8] delay [9]."

"Good God !" I cried. "What can it mean, this relentless [10] persecution ?"

"The papers which Openshaw carried [11] are obviously of vital importance to the person or persons in the sailing ship.

I think that it is quite clear that there must be more than one of them [12]. A single man could not have carried out [13] two deaths [14] in such a way as [15] to deceive [16] a coroner's jury. There must have been several in it [17], and they must have been [18] men of resource and determination. Their papers they mean to have, be the holder of them who it may [19]. In this way you see K.K.K. ceases to be the initials of an individual [20], and becomes the badge of a society."

---

1. **as a matter of fact,** en fait, en réalité.
2. **elapsed,** prononcer [i'læpst].
3. **mail boat,** paquebot poste ; mail, poste.
4. comme en français, *bateau, navire, vaisseau,* on a, en anglais, **boat, ship, vessel.**
5. **deadly,** adj., *mortel,* d'où, *terrible.*
6. « j'ai incité le jeune Openshaw à la prudence ».
▲ **caution,** *prudence ;* collateral, *caution, nantissement, garantie ;* deposit, *caution, gage, premier versement.*
7. it takes a long time to finish, *il faut beaucoup de temps pour le finir ;* how long does it take ? *combien faut-il de temps ?*
8. prép. **(up)on** après **to count,** *compter.*
9. ▲ **delay,** *retard ; délai,* time-limit.
10. **relentless,** *implacable ;* relentless foe, *ennemi implacable ;* to relent, *s'adoucir, se laisser fléchir.*

158

Je pense que les sept semaines représentent la différence entre le temps mis par le paquebot postal qui transportait la lettre et le voilier qui amenait l'expéditeur.

— C'est possible.

— Même plus, c'est probable. Vous comprenez maintenant la terrible urgence de cette nouvelle affaire et pourquoi j'ai si vivement recommandé au jeune Openshaw d'être sur ses gardes. Le coup a toujours été porté à l'expiration du temps requis par les auteurs de la lettre pour couvrir la distance. Mais celle-ci a été expédiée de Londres et nous ne pouvons donc compter sur aucun retard.

— Grand Dieu ! m'exclamai-je. Que peut bien signifier cette incessante persécution ?

— Les papiers que détenait Openshaw sont de toute évidence d'une importance vitale pour le passager ou les passagers du voilier.

Je pense qu'il est tout à fait clair qu'ils sont plusieurs. Un homme seul n'aurait pas perpétré deux meurtres de manière à tromper le jury d'un coroner. Ils doivent être plusieurs impliqués dans cette affaire et être des hommes déterminés et pleins de ressources. Ils veulent récupérer leurs papiers. Quel qu'en soit le détenteur. Ainsi vous comprendrez que les lettres K.K.K. ne sont pas les initiales d'un individu, mais représentent le sigle d'une société.

---

11. **to carry,** *porter, transporter.*
12. « il doit y en avoir plus d'un ; ils sont plus qu'un », d'où *ils sont plusieurs, ils sont deux ;* **there are two of them.**
13. **to carry out,** *exécuter, accomplir.*
14. **death,** *mort,* rendu ici par *meurtre.*
15. construction **in such a way as,** *de manière que, de manière à.*
16. ▲ **to deceive,** *tromper, leurrer ;* **to disappoint,** *décevoir.*
17. « dans cela », d'où, *impliqués dans cette affaire.*
18. construction après **I must** : infinitif passé ; *ils doivent avoir été,* d'où, *ils ont dû être.*
19. construction **be the holder of them who it may,** *quel qu'en soit le détenteur ;* on aurait pu avoir **whoever the holder of them may be.**
20. **individual,** subst., est souvent traduit par *particulier.*

"But of what society [1] ?"

"Have you never —" said Sherlock Holmes, bending forward and sinking [2] his voice — "have you never heard of the Ku Klux Klan ?"

"I never have."

Holmes turned over the leaves of the book upon his knee.

"Here it is," said he presently [3], "Ku Klux Klan. A name derived from a fanciful [4] resemblance [5] to the sound produced by cocking [6] a rifle. This terrible secret society was formed by some ex-Confederate soldiers in the Southern States after the Civil War, and it rapidly formed local branches in different parts of the country [7], notably in Tennessee, Louisiana, the Carolinas [8], Georgia, and Florida.

Its power was used for political purposes [9], principally for the terrorizing of the negro [10] voters, and the murdering [11] or driving [11] from the country of those who [12] were opposed to [13] its views. Its outrages [14] were usually preceded by a warning sent to the marked man in some fantastic but generally recognized shape [15] — a sprig [16] of oak [17] leaves in some parts, melon seeds [18] or orange pips in others.

---

1. ⚠ **society,** (la) *société, association* (type loi 1901) ; **company, corporation** (U.S.), *société* (industrielle ou commerciale).

2. **to sink, I sank, sunk,** *somber, s'enfoncer,* d'où *baisser ;* on dirait aussi **to lower one's voice.**

3. rappel : **presently** (GB), *bientôt, à présent,* (US) *actuellement.*

4. **fancy,** *fantaisie, imagination* (non ordonnée), d'où **fanciful,** *imaginaire.*

5. ⚠ prononciation et orthographe : **to resemble** [ri'zembl] *ressembler ;* **resemblance,** *ressemblance.*

6. **cock,** *chien d'un fusil,* d'où **to cock a rifle,** *armer un fusil.*

7. « elle forma rapidement des branches locales dans les différentes parties du pays ».

8. ⚠ absence d'article devant les noms d'États ; le pluriel **Carolinas** le rétablit.

— Mais de quelle société ?

— N'avez-vous jamais... fit Sherlock Holmes en se penchant en avant et en baissant la voix, n'avez-vous jamais entendu parler du Ku Klux Klan ?

— Jamais.

Holmes tourna les pages du livre posé sur son genou.

— Voici, dit-il bientôt, « Ku Klux Klan : nom dérivé de la ressemblance imaginaire qu'il présenterait avec le bruit d'un fusil qu'on arme. Cette terrible société secrète a été formée par d'anciens soldats confédérés dans les États du Sud après la guerre de Sécession. Rapidement se sont créées à travers le pays des ramifications locales, notamment au Tennessee, en Louisiane, dans les Carolines, en Georgie et en Floride.

Le pouvoir de cette société fut utilisé dans des buts politiques, principalement afin de terroriser les électeurs noirs, assassinant ceux qui s'opposaient à ses vues ou les chassant du pays. Ses actes de violence étaient habituellement précédés par l'envoi d'un avertissement à la victime désignée, avertissement qui revêtait une forme extravagante mais généralement reconnaissable : un rameau de feuilles de chêne dans certaines régions, des graines de melon ou des pépins d'orange dans d'autres.

---

9 . prép. **for political purposes,** *dans des buts politiques ;* **for what purpose ?** *dans quel but ?*

10. **coloured,** *de couleur,* **black,** *noir* (adj. et subst.), **negro,** *noir* (subst. ici, employé comme adj.), **nigger,** *nègre* (subst., employé de façon méprisante).

11. emploi de noms verbaux précédés de l'art. déf. **the ; the terrorizing... the murdering or driving...**

12. tournure **those who,** *ceux qui ;* le sing. serait **he who (that), the one who (that).**

13. prép. **to oppose to something,** *s'opposer à quelque chose.*

14. **outrage** ['autreidʒ], *outrage, acte de violence.*

15. « d'une forme fantastique mais généralement reconnue ».

16. **a sprig,** *rameau, brin.* ⚠ *rameau d'olivier,* **olive branch.**

17. **oak,** *chêne.*

18. **seed,** *graine, semence.*

On [1] receiving this the victim might [2] either openly abjure his former [3] ways, or might fly [4] from the country. If he braved the matter out [5], death would unfailingly [6] come upon him, and usually in some strange and unforeseen manner. So perfect was the organization of the society, and so systematic its methods, that [7] there is hardly a case upon record [8] where any man succeeded in [9] braving it with impunity, or in which any of its outrages were traced home [10] to the perpetrators. For some years the organization flourished, in spite of the efforts of the United States Government, and of the better classes of the community in the South. Eventually, in the year 1869, the movement rather suddenly collapsed, although there have been sporadic out-breaks [11] of the same sort since that date."

"You will observe," [12] said [13] Holmes, laying [14] down the volume, "that the sudden breaking up [15] of the society was coincident with [16] the disappearance of Openshaw from America with their papers [17]. It may well have been cause and effect. It is no wonder that [18] he and his family have some of the more implacable spirits upon their track.

---

1 . prép. **on** suivi de forme en **-ing,** indiquant simultanéité des actions.

2 . **might,** prétérit de **may,** *pouvait.*

3 . rappel : **former,** *ancien(ne) ;* **former pupils,** *anciens élèves.*

4 . **to fly, I flew, flown,** *voler, aller à toute allure,* d'où *s'enfuir* ; ne pas confondre avec **to flee, I fled, fled,** *fuir, s'enfuir* ou **to flow** [fləu], *couler, s'écouler* (fleuve, rivière).

5 . **to brave,** *braver ;* **to brave something out,** la postp. renforce le sens « braver l'incident », rendu par, *les menaces.*

6 . **to fail,** *échouer, ne pas réussir, faillir ;* d'où construction de l'adverbe avec le part. présent, le préfixe **un-** et le suffixe des adverbes **-ly : unfailingly** « sans que cela rate », d'où *inévitablement.*

7 . construction **so perfect,** inversion verbe-sujet... **that**...

8 . « sur enregistrement, enregistré » ; **it is on record,** *c'est enregistré* (dans le dossier) ; **it is off record,** *ce n'est pas enregistré,* d'où *officieux* (déclaration, commentaire).

En recevant cet avertissement, le destinataire pouvait soit abjurer ouvertement sa conduite passée, soit s'enfuir du pays. S'il décidait de braver ces menaces, la mort s'abattait immanquablement sur lui, généralement d'une façon étrange et imprévue. Cette société était si parfaitement organisée, et ses méthodes si bien mises au point qu'on aurait peine à citer des cas où la victime ait réussi à braver le Ku Klux Klan impunément, et où on soit remonté aux origines des meurtres. Durant quelques années l'association prospéra en dépit des efforts du gouvernement des États-Unis et des meilleurs éléments de la communauté des États du Sud. Finalement, en 1869, le mouvement s'effondra assez soudainement, mais il s'est manifesté depuis cette date de manière identique et sporadique ».

— Vous remarquerez, poursuivit Holmes, en posant le volume, que le soudain effondrement de cette société a coïncidé avec la disparition en Amérique d'Openshaw qui a emporté les documents avec lui. Cela peut bien être à la fois la cause et l'effet. Il n'est pas étonnant que lui-même et ses proches soient traqués par certains des membres dont l'esprit est le plus implacable.

---

9. prép. dans **to succeed in (doing) something,** *réussir à (faire) quelque chose.*

10. **to trace home,** *remonter une piste jusqu'à son origine ;* to track, *suivre la poste.*

11. **outbreak,** *éruption, accès.*

12. Rappel prononciation **to observe** [əb'zə:v], observer, d'où *remarquer.*

13. emploi répété de **to say** dans les dialogues qu'il est utile de traduire par *faire, poursuivre, ajouter...*

14. ∆ **to lay, I laid, laid,** *étendre, poser,* différent de **to lie, I lay, lain,** *s'étendre, se coucher.*

15. **to break up,** *se disperser, cesser, craquer,* d'où, **breaking up (of the society),** *effondrement* (de la société).

16. **to coincide** [kəuin'said] **with,** *coïncider avec ;* **coincident** [kəu'insidənt] **with,** *coïncidant avec.*

17. « la disparition d'Openshaw d'Amérique avec leurs papiers » ; N.B. prép. **from** indiquant l'origine, le départ.

18. expression, **it is no wonder that,** *il n'est pas étonnant que.*

You can understand that this register and diary [1] may implicate some of the first men [2] in the South, and that there may be many who will not sleep easy at night until [3] it is recovered."

"Then the page which we have seen —"

"Is such as we might expect. It ran, if I remember right, 'sent the pips to A, B, and C' — that is, sent the society's warning to them. Then there are successive entries [4] that A and B cleared [5], or left the country, and finally that C was visited, with, I fear, a sinister result for C. Well, I think, Doctor, that we may let some light into this dark place, and I believe that the only chance [6] young Openshaw has in the meantime [7] is to do what I have told him. There is nothing more to be said or to be done [8] to-night, so hand me over [9] my violin and let us try to forget for half an hour the miserable weather, and the still more miserable ways of our fellow-men [10]."

It had cleared [11] in the morning, and the sun was shining with a subdued [12] brightness [13] through the dim [14] veil which hangs over [15] the great city [16]. Sherlock Holmes was already at breakfast when I came down.

"You will excuse me [17] for not waiting for you," said he ;

---

1 . **register and diary,** ces deux termes sont perçus comme un seul objet, d'où **this** et plus bas **it.**

2 . « les premiers hommes », d'où, *les plus grandes personnalités.*

3 . **until,** *jusqu'à ce que,* rendu par, *avant que.*

4 . **entry,** entrée (he made an entry, *il fit son entrée),* inscription, écriture (comptabilité) ; **entrance,** entrée (voie).

5 . **to clear,** *partir, déguerpir.*

6 . omission du relatif *that.*

7 . tournure **in the meantime,** *entre-temps, dans l'intervalle ;* meanwhile aurait pu être employé.

8 . **there is nothing more to be done,** *il n'y a plus rien à faire.*

9 . **hand me over...,** *passez-moi.*

10. **fellow-men,** *frères humains, semblables ;* **fellow,** *compagnon, camarade, semblable,* ici employé comme adj. qualificatif, **fellow worker,** *collègue* (de travail), **fellow citizen,** *concitoyen,* **fellow passenger,** *compagnon de*

Il vous est aisé de comprendre que ce journal et ces listes puissent impliquer quelques-unes des plus grandes personnalités du Sud et qu'il en existe un grand nombre parmi elles qui ne puissent retrouver le sommeil avant qu'on ait récupéré ces documents.

— Alors, la page que nous avons vue...

— ... est celle à laquelle nous pouvons penser. Si je me souviens bien, on y lit : « Envoyé les pépins à A, B et C ! », c'est-à-dire, envoyé l'avertissement de la Société à A, B et C. Puis on lit successivement que A et B sont partis, ont quitté le pays et finalement qu'on a rendu visite à C, ce qui, je le crains, a eu une conséquence tragique pour ledit C. Eh bien, je pense, Docteur, que nous pouvons jeter la clarté dans ces ténèbres et je crois bien que le jeune Openshaw n'a qu'une chance entre-temps et c'est de faire ce que je lui ai dit. Il n'y a plus rien à dire ni à faire ce soir. Passez-moi donc mon violon et tentons d'oublier pendant une demi-heure ce temps horrible et la conduite encore plus horrible de nos frères humains.

Le temps s'était éclairci le lendemain matin et le faible éclat du soleil traversait le voile léger qui recouvre la grande métropole. Sherlock Holmes prenait déjà son petit déjeuner lorsque je descendis.

— Vous m'excuserez, je vous prie, de ne pas vous avoir attendu, dit-il ;

---

voyage.

11. **to clear,** *s'éclaircir* (temps, ciel), aussi **to clear up, it'll soon clear up,** *il va bientôt refaire beau (les nuages vont se dissiper).*

12. △ **subdued** [səb'dju:d] *subjugué, contenu, atténué.*

13. adj. **bright,** *brillant, éclatant ;* suffixe **-ness** pour former noms abstraits à partir des adjectifs.

14. **dim,** *obscur* (ombre), *borné, stupide.*

15. « est suspendu au-dessus » ; N.B. présent indiquant un fait souvent répété.

16. **city,** traduit par *métropole,* il s'agit bien sûr de *Londres.*

17. △ **excuse me,** correct en anglais, qu'il convient de rendre en français par *je vous prie de m'excuser* et non par *excusez-moi,* encore moins par *je m'excuse !* Autres formules : **I beg your pardon,** *plaît-il, comment ?* (on a mal entendu !), les Anglais emploient aussi, **what !** qui correspond peu ou prou à notre, quoi !) ; **I am (so, very) sorry,** *je suis désolé, navré.*

"I have, I foresee, a very busy day before me in looking into this [1] case of young Openshaw's [2]."

"What steps will you take [3] ?" I asked.

"It will very much depend upon the results of my first inquiries. I may have to go down to Horsham after all."

"You will not go there first ?"

"No, I shall commence with the City [4]. Just ring the bell [5], and the maid will bring up your coffee."

As I waited, I lifted the unopened [6] newspaper from the table and glanced my eye over it. It rested upon a heading which sent a chill to my heart [7].

"Holmes," I cried, "you are too late."

"Ah !" said he, laying down his cup, "I feared as much [8]. How was it done [9] ?" He spoke calmly, but I could see that he was deeply moved.

"My eye caught the name of Openshaw, and the heading "Tragedy near Waterloo Bridge."

Here is the account : "Between nine and ten [10] last night Police Constable [11] Cook, of the H Division, on duty [12] near Waterloo Bridge, heard a cry for help [13] and a splash [14] in the water. The night, however, was extremely dark and stormy [15], so that [16], in spite of the help of several passers-by [17], it was quite impossible to effect a rescue [18]. The alarm, however, was given [19], and, by the aid of the water police, the body was eventually [20] recovered.

---

1. **this** indique l'intérêt que porte Sherlock Holmes à l'affaire.

2. emploi idiomatique de **'s.**

3. tournure **to take a step (steps).** *prendre une mesure.*

4. **the City.** il s'agit de *la Cité de Londres,* grand centre d'affaires (Bourse, assurances, banques).

5. *sonnez,* **ring (press) the bell.**

6. « non ouvert », d'où (encore) *plié.*

7. « qui envoya un froid dans mon cœur » ; **chill.** *refroidissement,* chilly, *frais, froid.*

8. « je craignais autant ».

9. « comment cela a-t-il été fait ? » d'où *comment s'y sont-ils pris ?*

10. tournure elliptique : **between nine and ten,** *entre neuf et dix heures.*

11. absence d'article devant les titres : **Police Constable Cook,** *l'agent de police Cook.*

j'ai devant moi, je le prévois, une journée très chargée avec l'affaire de ce jeune Openshaw.

— Qu'allez-vous en faire ? demandai-je.

— Tout dépend du résultat de ma première enquête. Il se peut que j'aie à me rendre à Horsham, après tout.

— N'est-ce pas là où vous irez d'abord ?

— Non. Je vais commencer par la City. Mais sonnez donc pour que la bonne vous monte votre café.

Tandis que j'attendais, je pris le journal encore plié sur la table et y jetai un coup d'œil. J'y vis un gros titre qui me glaça le cœur.

— Holmes, m'écriai-je, vous arrivez trop tard.

— Ah ! fit-il en poussant sa tasse. Je le craignais bien. Comment s'y sont-ils pris ? — Il parlait calmement mais je voyais qu'il était profondément ému.

— Mon regard est tombé sur le nom d'Openshaw et sur le titre « Drame près du pont de Waterloo ».

Voici le récit : « Hier soir entre neuf et dix heures, l'agent de police Cook, de la division H, était de service près du pont de Waterloo lorsqu'il entendit crier au secours, puis le bruit d'une chute dans l'eau. La nuit était extrêmement sombre et il faisait très mauvais, si bien qu'en dépit de l'aide de plusieurs passants, il fut tout à fait impossible d'opérer un sauvetage. L'alerte fut toutefois donnée, et grâce à la police fluviale on finit par retrouver le corps.

---

12. tournure **on duty,** *de service.*
13. *au secours !* **help !**
14. « un (bruit d') éclaboussement ».
15. **stormy,** *orageux.*
16. conjonction de coordination **so that,** *si bien que, de telle sorte que.*
17. ▲ place de la marque du pluriel **-s, passers-by ;** lookers-on, *témoins, spectateurs* ; mais **grown-ups,** *adultes.*
18. « effectuer un sauvetage ».
19. expression **to give the alarm,** *donner l'alerte*
20. ▲ **eventually,** *finalement, en fin de compte* ; *éventuellement,* **possibly.**

It proved [1] to be that of a young gentleman whose name, as it appears from an envelope which was found in his pocket [2], was John Openshaw, and whose residence is near Horsham. It is conjectured that he may have been hurrying [3] down to catch the last train from Waterloo Station [4], and that in his haste and the extreme darkness, he missed his path [5], and walked over the edge of one of the small landing-places [6] for river steamboats. The body exhibited no traces of violence, and there can be no doubt that the deceased had been the victim of an unfortunate accident, which should have the effect of calling the attention of the authorities to the condition [7] of the riverside landing-stages."

We sat in silence for some minutes, Holmes more depressed and shaken that I had ever seen him.

"That hurts [8] my pride [9], Watson," he said at last.

"It is a petty [10] feeling, no doubt, but it hurts my pride. It becomes a personal matter with me [11] now, and, if God sends me health [12], I shall set my hand upon this gang. That he should [13] come to me for help, and that I should [12] send him away to his death — !" He sprang from his chair [14], and paced [15] about the room in uncontrollable agitation, with a flush [16] upon his sallow [17] cheeks, and a nervous clasping of his long, thin hands [18].

---

1 . **to prove,** ici, *(se) révéler.*
2 . « dont le nom, comme cela apparaît d'après une enveloppe qui fut trouvée dans sa poche »...
3 . « en se pressant » ; **to hurry,** *se presser ;* hurry up, *dépêche-toi.*
4 . **railways station,** *gare* (chemin de fer), **police station,** *commissariat* (de police).
5 . **to miss one's path,** *se tromper de chemin, se perdre ;* on dirait maintenant **to lose one's direction, path** [pɑ:θ], *chemin, sentier.*
6 . **landing-place,** *débarcadère,* **landing-stage.**
7 . **condition,** ici, *état.*
8 . ▲**to hurt** [hə:t], **I hurt, hurt,** *blesser.*
9 . **pride,** *orgueil.*
10. **petty** ['petɪ], *mesquin,* vient du français *petit.*

Il se révéla être celui d'un jeune homme qui s'appelle Openshaw, comme l'indique une enveloppe trouvée dans sa poche, et qui habite près de Horsham. On pense qu'il courait pour attraper le dernier train à la gare de Waterloo et que dans sa précipitation, et étant donné l'extrême obscurité, il se trompa de chemin et passa par-dessus le bord d'un des petits débarcadères prévus pour les bateaux à vapeur de la rivière. Le corps ne présentait aucune trace de violence, aussi ne fait-il aucun doute que le défunt a été victime d'un malheureux accident, ce qui devrait avoir pour effet d'attirer l'attention des autorités compétentes sur l'état des débarcadères.

Nous demeurâmes silencieux pendant plusieurs minutes ; Holmes était plus déprimé et plus secoué que je ne l'avais jamais vu.

— Cela blesse mon amour-propre, Watson, dit-il enfin.

C'est là un sentiment mesquin, sans doute, mais cela blesse mon amour-propre. J'en fais maintenant une affaire personnelle et, si Dieu me garde, je mettrai la main sur cette bande. Qu'il soit venu demander mon aide et que je l'aie envoyé à sa mort... ! » Il se leva d'un bond et se mit à arpenter la pièce, en proie à une agitation incontrôlable ; du rouge se voyait sous le teint jaunâtre de ses joues osseuses tandis qu'il nouait et dénouait nerveusement ses longues mains fines.

---

11. « cela devient une affaire personnelle pour moi ». ▲ orthographe, **personal,** *personnel.*
12. « si Dieu m'envoie la santé ».
13. emploi de **should,** exprimant le regret ressenti par Sherlock Holmes ; il en est de même après l'expression **it is a pity (that)** ; le subjonctif français traduit la même démarche.
14. « il sauta (bondit) de son fauteuil ».
15. **to pace,** [peis], *faire les cent pas.*
16. **flush** [flʌʃ], *rougeoiement, éclat, élan, lavage à grande eau* (chasse d'eau).
17. **sallow** ['sæləʊ], *jaunâtre, cireux* (teint, joues).
18. « un serrement nerveux de ses mains longues et minces » ; **to clasp,** *étreindre, serrer ;* **thin** [θin], *mince.*

"They must be cunning devils," he exclaimed at last. "How could they have decoyed [1] him down there ? The Embankment [2] is not on the direct line to the station [3]. The bridge, no doubt, was too crowded, [4] even on such a night for their purpose [5]. Well, Watson, we shall see who will win in the long run [6]. I am going out now !"

"To the police ?"

"No ; I shall be my own police. When I have spun the web [7] they may take the flies, but not before.

All day I was engaged in my professional work, and it was late in the evening before I returned to Baker Street. Sherlock Holmes had not come back yet. It was nearly ten o'clock before he entered, looking pale and worn [8]. He walked up to the sideboard, and, tearing a piece from the loaf [9], he devoured [10] it voraciously, washing it down with a long draught [11] of water.

"You are hungry, [12]" I remarked.

"Starving [13]. It had escaped my memory [14].

---

1 . to decoy [di'kɔi], *tromper, leurrer.*

2 . ... the Embankment, l'un des quais de Londres.

3 . « sur une ligne directe » (menant à la gare) ; il s'agit ici du chemin suivi, itinéraire.

4 . « le pont, sans doute, était encombré » ; **crowd,** *foule.*

5 . « pour leur propos, dessein ».

6 . expression **in the long run,** *à long terme, à la longue.*

7 . « quand j'aurai filé la toile » ; △ *present perfect* en anglais dans une proposition circonstancielle de temps ; **to spin, I span, spun,** *filer* (laine...), d'où **spinster,** *jeune fille sans dot,* obligée de devenir fileuse et vieille fille ; **web,** *toile* (d'araignée), *tissu,* même racine que **to weave, I wove, woven,** *tisser.*

8 . **worn (out),** *épuisé, faible,* participe passé de to **wear** [wɛə], **wore, worn,** *porter, user,* **fair wear and tear,** *usure normale.*

— Ce doit être des démons habiles, s'exclama-t-il enfin. Comment ont-ils pu l'attirer là-bas ? Le quai ne se trouve pas sur le chemin direct de la gare. Il y avait, sans aucun doute, trop de monde sur le pont, même par une telle nuit, pour leur permettre d'accomplir leur forfait. Eh bien, Watson, nous allons voir qui finira par gagner. Je sors.

— Vous allez trouver la police ?
— Non. Je vais faire ma propre police. Quand j'aurai fini de tisser ma toile, ils pourront y prendre les mouches, pas avant.

Toute la journée, je fus pris par l'exercice de ma profession et ce fut tard dans la soirée que je revins à Baker Street. Sherlock Holmes n'était pas encore de retour. Il était près de 10 heures lorsqu'il revint, l'air pâle et exténué. Il alla jusqu'au buffet et, après avoir brisé un morceau de pain, il le dévora avec voracité et le fit descendre avec une longue gorgée d'eau.

— Vous avez faim, remarquai-je.
— Je suis affamé. Ça m'était sorti de l'esprit,

---

9. « arrachant un morceau de la miche » ; **to tear** [tɛə] **I tore, torn,** *arracher, déchirer ;* **loaf,** *miche de pain.*
10. **to devour** [di'vauə] *dévorer.*
11. ⚠ **draught,** [drɑːft], *courant* (d'air), **draught beer,** *bière à la pression,* **to drink a long draught,** *boire à longue gorgée.*
12. Rappel : **to be hungry,** *avoir faim ;* to be thirsty, *avoir soif ;* **to be hot, cold,** *avoir chaud, froid.*
13. **to starve** [stɑːv], *être affamé ;* **to starve to death,** *mourir de faim,* **to die of starvation.**
14. « cela a échappé à ma mémoire » ; **memory,** *mémoire* (faculté), *souvenir.*

I have had nothing since breakfast [1]."

"Nothing ?"

"Not a bite [2]. I had no time to think [3] of it."

"And how have you succeeded [4] ?"

"Well."

"You have a clue [5] ?"

"I have them in the hollow [6] of my hand. Young Openshaw shall not remain long unavenged [7]. Why [8], Watson, let us put their own devilish trade-mark upon them [9]. It is well thought of [10] !"

"What do you mean ?"

He took an orange from the cupboard, and tearing it to pieces he squeezed out the pips upon the table [11]. Of these he took five, and thrust [12] them into an envelope. On the inside of the flap he wrote, "S.H. for J.C." Then he sealed [13] it and addressed it to "Captain James Calhoun, Barque *Lone Star* [14], Savannah, Georgia."

"That will await him [15] when he enters port", said he,

---

1 . ⚠ en français on emploie le temps passé pour indiquer la durée d'une absence d'action depuis une date ; ici. **breakfast** ; si l'action se déroule depuis une date donnée, ou une durée, on emploie le présent là où en anglais on aura toujours le *present perfect :* **I haven't seen her for weeks**, *je ne l'ai pas vue depuis des semaines ;* **I haven't seen him since last night**, *je ne l'ai pas vu depuis hier soir ;* **I have seen him every day since last winter**, *je le vois tous les jours depuis l'hiver dernier.*

2 . **to bite** [bait], **I bit, bitten** [bitn], *mordre* ; emploi familier **a bite,** *un morceau,* **have a bite,** *prenez un morceau, mangez un peu.* Il faut noter l'aspect moins familier et moins chargé de connotation vulgaire d'un grand nombre de termes et d'expressions, présentés comme tels, et qu'il faut éviter de traduire par des équivalents français trop marqués : le familier en anglais n'est pas aussi outré que le familier en français. Cette remarque s'applique à ce qu'on appelle d'une part **slang** et, d'autre part, argot, d'où, ici, *rien du tout,* et non, *pas un morceau.*

3 . absence d'article défini : **I had no time to,**, *je n'ai pas le temps de.*

mais je n'ai rien pris depuis le petit déjeuner.

— Rien ?

— Rien du tout. Je n'ai même pas eu le temps d'y songer.

— Comment se sont passées les choses ?

— Bien.

— Avez-vous une piste ?

— Je les tiens tous dans le creux de ma main. Le jeune Openshaw ne demeurera pas longtemps sans être vengé. Allons, Watson, nous allons retourner contre eux leur diabolique procédé. Ça vient fort à propos.

— Que voulez-vous dire ?

Il prit une orange dans le buffet et l'ouvrit, puis il extirpa les pépins qu'il posa sur la table. Il en prit cinq, qu'il jeta dans une enveloppe. A l'intérieur du rabat il écrivit : « S.H. à S.G. ». Puis il la cacheta et l'adressa au « Capitaine James Calhoun à bord trois-mâts *Lone Star*, Savannah, Georgie ».

— Elle l'attendra quand il arrivera au port, dit-il

---

4 . « comment avez-vous réussi ? »

5 . **a clue**, *un indice, un signe.*

6 . adj. et subst. **hollow**, (le) *creux ;* **hole**, *trou.*

7 . **to avenge**, *venger.*

8 . **why !** *Eh bien !*

9 . « mettons (appliquons) leur propre marque (de fabrique) sur eux » ; **trade-mark**, *marque* (de fabrique, commerciale), **brand**, *marque* (produits alimentaires...) ; **make**, *marque* (voitures, produits durables).

10. « C'est bien imaginé ».

11. « en pressant il fit sortir les pépins sur la table » ; **to squeeze**, *presser*, **the squeeze**, *l'austérité.*

12. **to thrust, I thrust, thrust** [θrʌst], *pousser, enfoncer, brusquement et violemment ;* **a thrust**, *une botte* (escrime).

13. **to seal** [si:l], *sceller.*

14. **barque** [ba:k], *barque, trois-mâts ;* **Lone Star**, *Étoile Solitaire ;* on ne traduit pas, bien sûr, les noms de bateaux.

15. **to await somebody**, *attendre quelqu'un ;* **to wait for somebody**.

chuckling [1]. "It may give him a sleepless night. He will find it as sure a precursor of his fate as Openshaw did before him."

"And who is this Captain Calhoun ?"

"The leader of the gang. I shall have the others, but he first [2]."

"How did you trace it, then ?"

He took a large sheet of paper from his pocket, all covered with dates and names.

"I have spent the whole day," said he, "over Lloyd's [3] registers and the files of old papers, following the future career of every vessel which touched at Pondicherry in January and in February in '83. There were thirty-six ships of fair [4] tonnage which were reported [5] there during those months. Of these, the *Lone Star* instantly attracted my attention, since, although it was reported as having cleared from London, the name is that which is given to one of the States of the Union [6]."

"Texas, I think."

"I was not and am not sure which ; but I knew that the ship must have an American origin."

"What then ?"

"I searched [7] the Dundee records, and when I found that the barque *Lone Star* was there in January, '85, my suspicion became a certainty. I then inquired as to vessels which lay [8] at present in the port of London."

"Yes?"

"The *Lone Star* had arrived here last week. I went down to the Albert dock, and found that she [9] had

---

1 . **to chuckle** ['tʃʌkl], onomatopée, *glousser*.

2 . **he first**, sous-entend **he will come** first, « son tour viendra le premier ».

3 . ▲ **Lloyd** est le nom d'un Gallois qui tenait à Londres à la fin du XVIIe siècle un établissement où les négociants se réunissaient pour déguster de nouveaux breuvages ; on disait alors **Lloyd's coffee-shop**. Ce personnage créa la célèbre compagnie d'assurances, la Lloyd's. La construction est à rapprocher de **to be, go to the butcher's (shop)**, *être, aller chez le boucher,* **to call at John's (house)**, *passer chez John*. Ici le nom **Lloyd** et le cas possessif sont liés à

en gloussant. Cela peut lui procurer une nuit blanche. Aussi sûrement qu'Openshaw avant lui, il y trouvera un avertissement du sort qui l'attend.

— Et qui est donc ce capitaine Calhoun ?

— Le chef de la bande. J'aurai les autres, mais lui en premier.

— Comment avez-vous donc trouvé sa trace ?

Il sortit de sa poche une grande feuille de papier, toute couverte de chiffres et de dates.

— J'ai passé toute la journée, dit-il, dans les registres de la Lloyd's et dans des piles de vieux journaux, suivant les déplacements ultérieurs de tous les navires qui ont touché Pondichéry en janvier et en février 1883. Durant ces deux mois il y en a eu trente-six d'assez fort tonnage, selon les rapports, parmi lesquels le *Lone Star*, qui a immédiatement retenu mon attention car, bien qu'il soit originaire de Londres, le nom est celui qu'on donne à l'un des États de l'Union.

— Le Texas, je crois.

— Je n'en suis toujours pas sûr mais je savais que le bateau devait être d'origine américaine.

— Et alors ?

— J'ai cherché dans les fichiers se rapportant à Dundee et, lorsque j'ai découvert que le *Lone Star* s'y trouvait en janvier 1885, mon soupçon se mua en certitude. J'ai ensuite enquêté sur les bateaux qui se trouvaient actuellement dans le port de Londres.

— Oui ?

— Le *Lone Star* est arrivé ici la semaine dernière. Je suis allé au dock Albert et j'ai découvert qu'il avait

---

registers, *les registres de (la) Lloyd(s).* Il faut rappeler ici la classification des navires selon l'état de leur coque, leur superstructure, etc. **A1** étant réservé aux meilleurs et ayant pris le sens de : de premier ordre.

4. **fair,** *assez bien, passable.*
5. voix passive **to be reported,** d'où, *selon les rapports.*
6. Il s'agit des États confédérés.
7. **to search,** *chercher, fouiller.*
8. **to lie, lay, lain** (at anchor), *être mouillé* (navire).
9. **she,** les navires, les machines, les chats sont du féminin.

been taken down [1] the river [2] by the early tide [3] this morning, homeward bound [4] to Savannah. I wired [5] to Gravesend, and learned that she had passed some time ago, and as the wind is easterly [6], I have no doubt that she is now past the Goodwins, and not very far from the Isle of Wight."

"What will you do, then ?"

"Oh, I have my hand upon him [7]. He and the two mates [8] are, as I learn, the only native-born Americans [9] in the ship. The others are Finns [9] and Germans [9]. I also know that they were all three away from the ship last night. I had it from [10] the stevedore [11], who has been loading their cargo [12]. By [13] the time their sailing ship reaches Savannah the mail boat will have carried this letter, and the cable will have informed the police of Savannah that these three gentlemen [14] are badly wanted here upon a charge of murder."

There is ever a flaw [15], however, in the best laid [16] of human plans, and the murderers of John Openshaw were never to receive the orange pips which would show them, that another, as cunning and as resolute [17] as themselves, was upon their track.

---

1. « avait été descendue ».
2. Il s'agit bien sûr de la Tamise.
3. La marée remonte jusqu'à Londres ; la Tamise est un fleuve à mascaret, a tidal river.
4. « sur le chemin du retour », suffixe -**ward** indique la direction, **bound** à rapprocher de **bound for** (Savannah), *en partance pour* (Savannah).
5. **to wire,** *câbler, envoyer un câble ;* wire, *fil,* d'où **wireless (net),** *sans fil,* notre ancienne T.S.F., mot remplacé par radio.
6. **easterly,** *(de l')est* (vent) ; de même, **westerly, northerly, southerly** ['sʌðəli].
7. « j'ai la main sur lui ».
8. **mate,** *officier, second.*
9. **native-born American,** redondance, on pourrait dire à *native of America,* ou adj. **American-born.** Adj. de nationalité prennent la marque du pluriel lorsqu'ils sont employés comme subst., à l'exception de **Chinese, Japonese, Portuguese** et **Swiss** qui sont invariables ; il existe aussi

appareillé et avait descendu le fleuve à la première marée ce matin, en partance pour Savannah. J'ai envoyé un câble à Gravesend et ai appris qu'on l'avait vu par le travers il y a quelque temps. Comme il y a un vent d'est, je ne doute pas qu'il ait maintenant passé les Goodwins et ne soit pas loin de l'Ile de Wight.

— Qu'allez-vous faire maintenant ?

— Oh ! Je le tiens. Le capitaine et les deux officiers sont, comme je l'ai appris, les seuls membres de l'équipage nés en Amérique. Les autres sont finnois ou allemands. Je sais aussi que tous les trois n'étaient pas à bord hier soir. Je tiens cela du docker qui a arrimé leur cargaison. Quand leur voilier parviendra à Savannah, le paquebot postal aura déjà porté ma lettre et le câble aura averti la police de Savannah que ces trois tristes sires sont activement recherchés ici sous l'inculpation de meurtre.

Il y a, cependant, toujours une faille dans les plans humains les mieux conçus et les assassins de John Openshaw ne devaient jamais recevoir les pépins d'orange qui leur auraient montré que quelqu'un d'aussi habile et aussi résolu qu'eux-mêmes était sur leurs traces.

---

deux formes, adj. et subst. : **Finnish, Finn(s), Swedish, Swede(s), Danish, Dane(s), Polish, Pole(s) ; English** devient **Englishman (men), girl(s), woman (women)**, de même **Welsh, Irish, Dutch, French.** Il faut traiter à part les adj. **Scottish, Scots** et **Scotch** qui donnent respectivement les substantifs **Scot(s), Scotsman** et **Scotchman. Scotch** adj. est réservé aux boissons ou plats, **Scotch (whisky), Scotch broth,** *soupe*, à rapprocher de notre *brouet*.

10. **to have it from,** *le tenir de*.

11. **stevedore** ['stiːvidɔ:], *docker, arrimeur ;* **to stow** [stəu], *arrimer*.

12. ▲ **cargo,** *cargaison ;* **cargo boat,** *cargo*.

13. ▲ **by,** indique période écoulée depuis début de l'action de la proposition principale. N.B. présent **reaches.**

14. emploi ironique de **gentlemen.**

15. **flaw** [flɔ:], *paille* (métal), *faille* (plan, caractère).

16. **to lay a plan,** *concevoir un plan*.

17. « rusé et résolu ».

Very long and severe were the equinoctial gales that year [1]. We waited long for [2] news of the *Lone Star* of Savannah, but none ever [3] reached us. We did [4] at last hear that somewhere far out in the Atlantic a shatterred sternpost [5] of a boat was seen swinging [6] in the trough [7] of a wave, with the letters « L.S. » carved [8] upon it, and that is all which we shall ever know of the fate of the *Lone Star*.

---

1 . inversion verbe/sujet et phrase débutant par attribut.
2 . prép. **to wait for**.
3 . △ **none** pronom négatif entraînant l'emploi de **ever**.
4 . forme d'insistance : auxiliaire **do**.
5 . **sternpost**, *étambot* ; **stern**, *arrière, poupe* ; **to shatter**, *fracasser*.

Très longues et très violentes furent cette année-là les tempêtes d'équinoxe. Nous attendîmes pendant longtemps d'avoir des nouvelles du *Lone Star*, mais aucune ne nous parvint. Nous finîmes par apprendre que, quelque part au milieu de l'Atlantique, on avait vu flotter dans le creux d'une vague un étambot brisé, sur lequel étaient gravées les lettres L.S., et c'est tout ce que nous saurons jamais du sort ultime du *Lone Star*.

---

6 . **to swing, swang, swung,** *balancer,* d'où ici, *flotter.*
7 . ⚠ prononciation **trough** [trɔf] *creux* (vague), *abreuvoir* (tronc ou pierre creusés).
8 . **to carve** [kɑːv], *sculpter, tailler, découper* (volaille, rôti).

Vous avez rencontré en lisant cette nouvelle les équivalents anglais des expressions suivantes. Vous en souvenez-vous ?

1. Aller se coucher.
2. Un ami à vous.
3. Je vous dois une excuse.
4. Je suis venu chercher des conseils.
5. J'ai entendu parler de vous.
6. Tricher aux cartes.
7. Je pouvais aller où je voulais et faire ce que je voulais.
8. Qu'est-ce que ça peut être ?
9. Qu'est-ce que cela peut bien signifier ?
10. Une mauvaise plaisanterie.
11. Faire des histoires.
12. Être loin de chez moi (ne pas être chez soi).
13. A vrai dire.
14. Cela fait deux jours qu'il a reçu la lettre.
15. Avoir d'autres preuves.
16. L'écriture est celle de mon oncle.
17. Il nous a serré la main.
18. Si je me souviens bien.
19. Pour ce qui est de.
20. Il avait une très bonne raison de quitter l'Amérique.
21. Il était à bord d'un navire.
22. A des fins politiques.
23. Je vous prie de m'excuser de ne pas vous attendre.
24. Cela dépendra des résultats.
25. En service (personne).
26. Malgré l'aide de plusieurs passants.
27. Opérer un sauvetage.
28. A long terme.
29. Je n'ai rien mangé (pris) depuis le petit déjeuner.
30. Avoir un indice.

1. To go to bed.
2. A friend of yours.
3. I owe you an apology.
4. I have come for advice.
5. I have heard of you.
6. To cheat at cards.
7. I could go where I liked and do what I liked.

8. What can this be ?
9. What on earth does this mean ?
10. A practical joke.
11. To make a fuss.
12. To be away from home.
13. To tell the truth.
14. It is two days since he had the letter.
15. To have further evidence.
16. The writing is my uncle's.
17. He shook hands with us.
18. If I remember rightly.
19. As regards.
20. He had a very strong (good) reason for leaving America.
21. He was on board a ship.
22. For political purposes.
23. You will excuse me for not waiting for you.

24. It will depend on the results.
25. On duty.
26. In spite of the help of several passers-by.
27. To effect a rescue.
28. In the long run.
29. I've had nothing since breakfast.

30. To have a clue.

THE VEILED LODGER

LA PENSIONNAIRE VOILÉE

When one considers [1] that Mr Sherlock Holmes was in active practice [2] for twenty-three years, and that during seventeen of these I was allowed [3] to co-operate with him and to keep notes of his doings, it will be clear [4] that I have a mass of material at my command [5]. The problem has always been, not to find, but to choose. There is the long row of year-books [6] which fill a shelf [7], and there are the dispatch-cases [8] filled with documents, a perfect quarry [9] for the student, not only of crime, but of the social [10] and official scandals of the late [11] Victorian era. Concerning these latter, I may say that the writers of agonized [12] letters, who beg that the honour of their families or the reputation of famous forbears may not be touched, have nothing to fear. The discretion and high sense of professional honour [13] which have always distinguished my friend are still at work in the choice of these memoirs, and no confidence will be abused. I deprecate [14], however, in the strongest way the attemps which have been made lately to get at and to destroy these papers. The source of these outrages [15] is known, and if they are repeated I have Mr Holmes authority for saying that the whole story concerning the politician, the lighthouse and the trained cormorant will be given to the public. There is at least one reader who will understand.

---

1. « quand on considère ».
2. « en pratique active, en activité » ; **practice** donne l'idée d'une activité professionnelle. Cf. **to practise**, *pratiquer.* Le prétérit **was** montre que Holmes n'exerce plus.
3. « j'ai été autorisé ».
4. « il sera clair ».
5. « une masse de matériel à ma disposition ».
6. **yearbook :** *annuaire, almanach ;* ici *recueil* des affaires, classées par années, auxquelles Holmes s'est intéressé.
7. **shelf** pluriel **shelves.**
8. **dispatch-case,** *malette* ou *serviette* pour le transport de documents. L'usage moderne lui préfère **brief-case.**
9. **quarry :** *carrière* (de pierre, etc.) ; par extension, *mine* (de documents).
10. **social,** attention à ce terme qui s'applique souvent à la vie en société, aux activités de groupes humains. Pour les programmes sociaux, lui préférer **welfare programme,** et pour les rapports entre patronal et syndicats, **industrial**

Quand on sait que M. Sherlock Holmes a pratiqué son art pendant vingt-trois ans, et que pendant dix-sept de ces années j'ai eu le privilège de lui apporter ma collaboration et de rédiger des notes sur ses activités, on comprend que je dispose d'une documentation considérable. Le problème est toujours non pas de trouver, mais de choisir. Il y a cette longue rangée de dossiers classés par années qui occupent toute une étagère, et ces cartons remplis de documents, mine idéale pour celui qui étudie non seulement les annales du crime, mais aussi les scandales de la haute société et des milieux officiels au cours de la défunte époque victorienne. Au sujet de ces derniers, je puis dire que les auteurs de lettres angoissées qui supplient que l'honneur de leur famille ou la réputation d'aïeux célèbres ne soit pas souillée n'ont rien à craindre. La discrétion et le sens aigu de l'honneur professionnel qui ont toujours caractérisé mon ami sont encore présents dans le choix de ces mémoires, et nulle confiance ne sera trahie. Je déplore cependant au plus haut point les tentatives récemment faites pour retrouver ces documents et les détruire. Les auteurs de ces agissements sont connus, et, s'ils les répétaient, M. Holmes m'a autorisé à affimer que toute l'histoire concernant le politicien, le phare et le cormoran dressé sera livrée au public. Il y a au moins un lecteur qui me comprendra.

---

relations. On parle cependant de **social security**. Ici, dans le contexte victorien, il s'applique surtout à la vie de la haute société.

11. attention à la construction de **late** : *feu son père,* **his late father** ; *feu Monsieur Hull,* **the Late Mr Hull. The Victorian era :** la reine Victoria régna de 1837 à 1901.

12. **agonized : agony** signifie *angoisse, souffrance extrême.* Ce n'est que dans les expressions **the death agony, the last agony** qu'il signifie *agonie ;* **to agonize :** *torturer, mettre au supplice, à la torture.*

13. **professional honour** correspond à *la déontologie, la morale professionnelle.* Cf. le terme moderne, **professional ethics.**

14. **to deprecate** 1/ (ici) *désapprouver, désavouer* ; 2/ (influencé par **to depreciate**) *déprécier, minimiser.*

15. **outrage :** *atteinte, attentat* (à la morale...), *crime* (contre la morale), *outrage* (aux bonnes mœurs).

It is not reasonable [1] to suppose that every one of these cases gave Holmes the opportunity of showing those curious gifts of instinct and observation which I have endeavoured [2] to set forth [3] in these memoirs. Sometimes he had with much effort to pick the fruit [4], sometimes it fell easily into his lap [5]. But the most terrible human tragedies were often involved in these cases which [6] brought him the fewest personal opportunities [7], and it is one of these which I now desire to record [8]. In telling it, I have made a slight change of name and place, but otherwise the facts are as stated.

One forenoon [9] — it was late in 1896 [10] — I received a hurried note [11] from Holmes asking for my attendance [12]. When I arrived, I found him seated in a smoke-laden [13] atmosphere, with an elderly [14], motherly woman of the buxom [15] landlady type in the corresponding chair in front of him.

"This is Mrs Merrilow, of South Brixton", said my friend, with a wave of the hand [16]. "Mrs Merrilow does not object to tobacco [17], Watson, if you wish to indulge [18] your filthy [19] habits. Mrs Merrilow has an interesting story to tell which may well lead to further developments in which your presence may be useful."

"Anything I can do —"

---

1. « il n'est pas raisonnable ».
2. **to endeavour,** *tenter, essayer, s'efforcer de ;* an endeavour, *une tentative.*
3. **to set forth :** *énoncer, exposer, formuler.*
4. « il dut avec beaucoup d'efforts cueillir le fruit ».
5. « il lui tomba facilement dans le giron ».
6. **in these cases which** *dans ces cas mêmes qui...* **these** produit un effet d'insistance.
7. **personal opportunities :** il s'agit des affaires où son talent et sa personnalité ont peu eu l'occasion de s'exercer, puisqu'elles se résolvaient d'elles-mêmes.
8. **to record,** *consigner, enregistrer,* d'où, *narrer, raconter.* Attention au changement d'accentuation et de prononciation entre le verbe [rɪkˈɔːd] et le nom [ˈrekɔːd].
9. **forenoon,** *matinée.* Ce mot symétrique de **afternoon** par rapport à **noon,** *midi,* n'est plus guère employé.
10. **Late in 1896,** mot à mot, tard en 1896. Cf. **in late June,** *à la fin juin.*
11. « une note hâtive ».

Il ne serait pas raisonnable de supposer que chacune de ces affaires a fourni à Holmes l'occasion de démontrer ses dons particuliers de flair et d'observation que j'ai entrepris d'illustrer dans ces mémoires. Tantôt il a eu beaucoup de mal à cueillir le fruit de ses efforts, tantôt il n'eu qu'à tendre la main. Mais les tragédies humaines les plus terribles se sont souvent manifestées dans les affaires qui lui ont donné le moins d'occasions d'employer son talent, et c'est l'une d'entre elles que je souhaite maintenant raconter. Dans ma narration, j'ai opéré une légère modification de nom et de lieu, mais pour le reste les faits sont bien tels que je les relate.

Un matin, c'était vers la fin de l'année 1896, je reçus de Holmes une note griffonnée me demandant de venir d'urgence. En arrivant, je le trouvai assis dans une atmosphère enfumée ; sur la chaise en face de lui se trouvait une femme d'un certain âge, à l'air maternel, du genre « logeuse à forte poitrine ».

« Voici Mme Merrilow de South Brixton », dit mon ami en la désignant d'un geste. « Watson, si vous désirez sacrifier à vos répugnantes habitudes, Mme Merrilow n'a rien contre le tabac. Mme Merrilow a une histoire intéressante à raconter qui pourrait bien conduire à des développements ultérieurs où votre présence serait utile. »

« A votre service. »

---

12. « demandant ma présence » ; **attendance :** 1/ *fait d'assister à,* 2/ *auditoire, public ;* **to attend,** *assister à* (des cours, un spectacle, une réunion, etc.).

13. **laden,** participe passé du verbe ancien **to lade,** remplacé par **to load,** *charger.*

14. **elderly,** *d'un âge respectable ;* cf. l'adjectif et nom **elder,** *(le) plus âgé des deux ;* **the elders,** *les anciens ;* **the elderly (pl.),** *les personnes âgées.*

15. **buxom,** *plantureuse, aux formes rebondies, à la forte poitrine.*

16. « d'un geste de la main » ; attention, en dehors de cette expression, *geste* se traduit par **gesture,** ou **motion.**

17. **to object to,** *avoir une (des) objection(s) à ;* attention, le verbe qui suit éventuellement est à la forme **-ing : do you object to coming...**

18. **to indulge,** *s'abandonner à, se laisser aller à* (un penchant), *s'adonner à.*

19. **filthy,** *sale, immonde, dégoûtant ;* **filth :** *saleté, crasse, ordure(s).*

"You will understand, Mrs Merrilow, that if I come to Mrs Ronder I should prefer to have a witness. You will make [1] her understand that before we arrive."

"Lord bless you [2], Mr Holmes," said our visitor ; "she is that anxious [3] to see you that you might bring the whole parish at your heels !"

"Then we shall come early in the afternoon [4]. Let us see that we have our facts correct before we start [5]. If we go over them it will help Dr Watson to understand the situation. You say that Mrs Ronder has been [6] your lodger for seven years and that you have only once seen her face."

"And I wish [7] to God I had not !" said Mr Merrilow.

"It was, I understand [8], terribly mutilated."

"Well, Mr Holmes, you would hardly say it was [9] a face at all [10]. That's how it looked. Our milkman [11] got a glimpse [12] of her once peeping [13] out [14] of the upper window, and he dropped his tin and the milk all over the front garden [15]. That is the kind of face it is. When I saw her — I happened [16] on her unawares — she covered up quick [17], and then she said, 'Now, Mrs Merrilow, you know at last why it is that I never raise my veil.' "

---

1 . rappel : *faire* + verbe = **to make** + infinitif sans **to**.

2 . **Lord bless you :** notez cet emploi du subjonctif. Cf. God save the Queen.

3 . **that anxious :** **that** est ici un intensif qui signifie *à ce point, à un tel degré.* **Anxious,** 1/ *désireux, impatient, avide (de)* 2/ *inquiet, soucieux.*

4 . « tôt dans l'après-midi », plus idiomatique que **at the beginning of the afternoon.**

5 . **before we start :** « avant de commencer », ou « avant de partir ».

6 . emploi typique d'un *present perfect* traduit par un présent français.

7 . **to wish,** *souhaiter,* est suivi d'un verbe au prétérit à sens subjonctif : **I wish I could,** *je souhaiterais pouvoir,* **I wish I had known,** *je regrette de ne pas l'avoir su.*

8 . **I understand** a souvent le sens de *si j'ai bien compris, à ce que je sais, je crois comprendre que, si je ne me trompe,* etc.

9 . « vous diriez à peine que c'était un visage ».

10. **at all,** *en rien, le moindrement ;* Cf. **it was not a face at all,** *ce n'était pas du tout un visage.*

« Vous comprendrez, Madame Merrilow, que si je rends visite à Mme Ronder, je préférerais avoir un témoin. Faites-lui comprendre cela avant notre arrivée. »

« Dieu vous bénisse, Monsieur Holmes », dit notre visiteuse ; « elle est si désireuse de vous voir que vous pourriez venir avec toute la paroisse sur les talons ! »

« Nous viendrons donc au début de l'après-midi. Avant toute chose, soyons sûrs de bien connaître les faits. Si nous les passons en revue, cela aidera le Docteur Watson à comprendre la situation. Vous dites que Mme Ronder est en pension chez vous depuis sept ans et que vous n'avez vu son visage qu'une seule fois. »

« Et plût à Dieu que je ne l'aie jamais vu ! » dit Mme Merrilow. « Il était, à ce que j'ai compris, terriblement mutilé. »

« Franchement, Monsieur Holmes, cela ressemblait à peine à un visage. Ah non alors. Notre laitier l'a aperçue un jour alors qu'elle regardait depuis la fenêtre d'en haut et il en a lâché son bidon et tout le lait s'est renversé dans la cour qui donne sur la rue. Voilà le genre de visage que c'est. Quand je l'ai vue, j'arrivais à l'improviste, elle a vite recouvert son visage, et puis elle a dit : "Maintenant, Madame Merrilow, vous savez enfin pourquoi je ne soulève jamais mon voile". »

---

11. il s'agit de l'employé qui livre le lait.

12. **to get a glimpse,** to catch a glimpse, *entrevoir.*

13. **to peep :** *regarder* (à travers quelque chose, de derrière quelque chose, en catimini), **peep-show :** *spectacle osé, risqué.*

14. préposition **out.** Cf. **to look out of a window,** *regarder à la fenêtre ;* **to lean out of a window,** *se pencher à la fenêtre.*

15. « jardin de devant ». Il s'agit d'une maison de banlieue construite en retrait par rapport à la rue, ce qui correspond au désir d'isolement de Mme Ronders.

16. **to happen :** *se produire,* signifie aussi, comme ici, *rencontrer par hasard, tomber sur quelqu'un.* L'impression de hasard est renforcée par **unawares,** *à l'improviste.* Cf. **to be aware,** *être au courant, conscient.*

17. **quick** peut être adjectif ou, comme ici, adverbe. Il donne alors une impression de plus grande urgence et de plus grande familiarité que **quickly.**

"Do you know anything about her history ?"

"Nothing at all."

"Did she give references when she came ?"

"No, sir, but she gave hard cash [1], and plenty of it. A quarter's [2] rent [3] right down on the table in advance and no arguing about terms. In these times a poor woman like me can't afford to turn down [4] a chance [5] like that."

"Did she give any reason for [6] choosing your house ?"

"Mine stands well back from the road and is more private than most. Then, again, I only take one, and I have no family of my own. I reckon [7] she had tried others and found that mine suited her best. It's privacy [8] she is after, and she is ready to pay for it."

"You say that she never showed her face from first to last [9] save on the one [10] accidental occasion. Well, it is a very remarkable story, most remarkable, and I don't wonder that you want it examined [11]. »

"I don't [12], Mr Holmes. I am quite satisfied so long as I get my rent. You could not have a quieter lodger or one who gives less trouble."

"Then what has brought matters [13] to a head ?"

---

1. **hard cash,** espèces sonnantes et trébuchantes.

2. **quarter** désigne le trimestre pour les opérations commerciales ; le trimestre scolaire ou universitaire étant **term** ; **rent,** loyer ; to rent, louer (locataire) ; to let, louer (propriétaire).

3. **terms** est le mot usuel pour désigner les conditions d'un contrat, d'une transaction. Conditions de paiement : terms of payment.

4. **to turn down,** très employé dans l'expression to turn down an offer, refuser une offre.

5. **chance,** le sens dominant est celui de hasard, d'éventualité, d'occasion. La chance au sens de veine se dit **luck.** Il faut donc bien distinguer ces deux termes. Donner une deuxième chance, to give a second chance. Mais avoir de la chance, to have luck, to be lucky ; Bonne chance ! Good luck !.

« Savez-vous quelque chose de son passé ? »

« Rien du tout. »

« A-t-elle donné des références en se présentant ? »

« Non Monsieur, mais elle a donné de l'argent liquide, et en quantité : un terme de loyer d'avance sur la table et pas de discussion sur les conditions. Par les temps qui courent, une pauvre femme comme moi ne peut pas se permettre de refuser une occasion pareille. »

« A-t-elle donné une raison quelconque pour choisir votre maison ? »

« Ma maison est très en retrait par rapport à la rue et mieux à l'abri des regards indiscrets que la plupart des autres. Et puis, encore une fois, je ne prends qu'une pensionnaire, et je n'ai pas de famille à moi. J'ai l'impression qu'elle a essayé d'autres pensions et trouvé que la mienne lui convenait le mieux. Elle recherche la discrétion, et elle est prête à payer pour ça. »

« Vous dites qu'elle n'a jamais laissé voir son visage en aucune occasion, sauf dans le cas particulier dont vous parliez. Eh bien, c'est une histoire bien remarquable, tout à fait remarquable, et je comprends que vous souhaitiez qu'on y regarde de plus près ! »

« Je ne le souhaite pas, monsieur Holmes. Je suis très contente du moment que je touche mon loyer. On ne trouverait pas une pensionnaire plus tranquille ou qui donne moins de mal. »

« Alors d'où vient le problème ? »

---

6. Δ **reason for** + forme en **-ing.**

7. **to reckon** 1/ *calculer, compter* 2/ (familier) *estimer, juger, penser* (que).

8. **privacy,** *intimité, vie privée.*

9. **from first to last :** « du premier au dernier », donc *du début à la fin, pendant tout le temps où vous l'avez connue.*

10. **the one,** *celle-là en particulier :* marque bien le caractère défini donné par l'article **the** qui a la même origine que le démonstratif **this.**

11. attention à la prononciation [rˈgzæmm]. L'erreur des Français étant souvent de donner le son [ai] au i. De même on doit prononcer **to determine** [dɪˈtəːmɪn].

12. **I don't** reprise par l'auxiliaire seul. Le sens étant **I don't** want it examined.

13. **to bring matters** to a head, *amener à une crise, forcer à prendre une décision.*

"Her health, Mr Holmes. She seems to be wasting [1] away. And there's something terrible [2] on her mind 'Murder !' she cries. 'Murder !' And once I heard her, 'You cruel beast ! You monster !' she cried.

It was in the night, and it fair [3] rang through the house and sent the shivers [4] through me.

So I went to her in the morning. 'Mrs Ronder,' I says [5], 'if you have anything that is troubling your soul [6], there's the clergy [7]', I says, 'and there's the police. Between them you should get some help'. 'For God's sake, not the police !' says she, 'and the clergy can't change what is past. And yet,' she says, 'it would ease my mind if someone knew the truth before I died [8]'. 'Well,' says I, 'if you won't have the regulars [9], there is this detective man [10] what we read about' — 'beggin [11] your pardon, Mr Holmes. And she, she fair [12] jumped at [13] it. 'That's the man,' says she. 'I wonder [14] I never thought of it before. Bring him here, Mrs Merrilow, and if he won't come, tell him I am the wife of Ronder's wild beast show [15]. Say that, and give him the name Abbas Parva. Here it is as she wrote it, Abbas Parva. 'That will bring him, if he's the man I think he is.' "

---

1 . to **waste**, gâcher, gaspiller, s'épuiser, **to waste away**, dépérir, s'étioler, s'affaiblir.

2 . ne pas confondre **terrible**, terrible au sens d'abominable et terrific, terrible au sens de formidable, épatant. Cf. a terrible evening, a terrific evening.

3 . **fair** adjectif peut aussi être adverbe (même sens que fairly) dans l'usage familier, comme ici, ou littéraire ; **fair** a ici son sens intensif (complètement, absolument).

4 . **a shiver**, un frisson ; **to shiver**, frissonner, trembler (de peur, de froid) ; **to give the shivers** (fam.) donner le frisson, faire trembler, faire frémir.

5 . **I says** forme vulgaire et non grammaticale.

6 . « ce qui trouble votre âme ».

7 . « le clergé ». L'Église, **the church**. La traduction les prêtres serait gênante car elle suggérerait des **priests** catholiques, alors que **clergy** ou **clergymen** recouvre aussi bien les pasteurs.

« Sa santé, monsieur Holmes. On dirait qu'elle dépérit. Et il y a quelque chose de terrible qui l'obsède. "Au meurtre !" crie-t-elle, "Au meurtre !". Et une fois je l'ai entendue qui criait "Tu n'es qu'une bête sans pitié, un monstre !". »

C'était la nuit et ça a résonné dans toute la maison et m'a donné le frisson.

Alors je suis allé la voir le lendemain matin. « Madame Ronders », que je lui dis, « si vous avez quelque chose qui vous torture, il y a l'église, » que je lui dis, « et il y a la police. A elles deux elles devraient pouvoir vous aider. » « Pour l'amour de Dieu, pas la police », qu'elle dit, « et l'église ne peut pas changer le passé. Et pourtant », dit-elle, « ça me soulagerait l'esprit si quelqu'un connaissait la vérité avant ma mort. » « Eh bien, » que je dis, « si vous ne voulez pas de la police officielle, il y a ce détective dont on nous parle dans les journaux. » Faites excuse, monsieur Holmes. Et elle a vraiment sauté sur l'occasion. « C'est l'homme de la situation », dit-elle. « Je me demande pourquoi je n'y ai pas pensé plus tôt. Faites-le venir ici, Madame Merrilow, et s'il ne veut pas venir, dites-lui que je suis la femme du Ronders qui avait un spectacle de bêtes féroces. Dites-lui cela et mentionnez le nom Abbas Parva. » C'est là comme elle l'a écrit, Abbas Parva. « Ça le fera venir, si c'est l'homme que je crois ».

---

8 . **before I died,** *avant que je ne meure ;* prétérit à sens de subjonctif.

9 . **regulars,** nom formé de l'adjectif **regular** : 1/ *régulier,* 2/ *réglementaire.* Cf. **the regular army,** *l'armée régulière,* **regulars** désigne ici *la police officielle* par opposition aux détectives privés.

10. **this detective man :** le rajout de **man** donne un tour familier.

11. **beggin'** correspond à la prononciation populaire.

12. **fair :** *complètement, vraiment.*

13. **to jump at an offer, an opportunity,** *saisir une offre, une occasion* (sauter sur, s'empresser d'accepter).

14. **to wonder,** *s'étonner, s'émerveiller,* d'où *se demander.* Le nom **wonder** signifie 1/ *merveille* 2/ *étonnement.*

15. « la femme du spectacle d'animaux sauvages de Ronder. »

"And it will, too [1]", remarked Holmes. "Very good, Mrs Merrilow. I should like to have a little chat [2] with Dr Watson. That will carry us till lunch-time. About three o'clock you may expect to see us at your house in Brixton."

Our visitor had no sooner waddled [3] out of the room — no other verb can describe Mrs Merrilow's method of progression — than [4] Sherlock Holmes threw himself with fierce energy upon the pile of commonplace-books [5] in the corner.

For a few minutes there was a constant swish [6] of the leaves, and then with a grunt [7] of satisfaction he came upon what he sought [8]. So excited was he that he did not rise, but sat upon the floor like some strange [9] Buddha, with crossed legs, the huge books all round him, and one open upon his knees.

"The case worried me at the time, Watson. Here are my marginal notes to prove it. I confess [10] that I could make nothing of it. And yet I was convinced that the coroner was wrong. Have you no recollection [11] of the Abbas Parva tragedy ?"

"None [12], Holmes."

---

1 . reprise par l'auxiliaire. Le sens est it will bring him (ou me) ; too signifie ici effectivement, de fait.

2 . a chat. une conversation amicale, une « causette », une « bavette »; to chat, causer, deviser, discuter amicalement.

3 . to waddle, se dandiner comme un canard.

4 . than, construction obligatoire après no sooner comme when l'est après hardly. Cf. elle n'était pas plutôt sortie que... No sooner had she left than... Hardly had she left when...

5 . commonplace-books, recueils de faits notables, de citations, etc. ; ici dossiers annuels conservés par Holmes sur les affaires criminelles auxquelles il s'est intéressé.

6 . swish, sifflement, bruissement, bruit que fait un fouet, un cours d'eau, le vent dans de hautes herbes ; ici bruit que font les pages que tourne Sherlock Holmes.

« Et elle avait raison », remarqua Holmes. « Très bien, Madame Merrilow. J'aimerais avoir une petite conversation avec le Dr Watson. Ça nous prendra jusqu'à l'heure du déjeuner. Vous pouvez compter sur notre visite à votre maison de Brixton vers trois heures. »

A peine notre visiteuse était-elle sortie de la pièce en se dandinant (aucun autre verbe ne peut décrire le mode de déplacement de Mme Merrilow) que Sherlock Holmes se jeta avec une énergie impétueuse sur les recueils empilés dans le coin de la pièce.

Pendant quelques minutes on entendit le bruissement constant des pages, puis, avec un grognement de satisfaction, il tomba sur ce qu'il cherchait. Il était si fasciné qu'il ne se leva pas, mais resta assis par terre comme un étrange Bouddha, les jambes croisées, les gros registres tout autour de lui, et l'un d'eux ouvert sur ses genoux.

« L'affaire m'avait tracassé à l'époque, Watson. Mes notes en marges le prouvent. J'avoue que je n'y comprenais rien. Et pourtant j'étais convaincu que le coroner se trompait. Vous n'avez pas de souvenir de la tragédie d'Abbas Parva ? »

« Aucun, Holmes. »

---

7. **grunt,** *grognement ;* v. **to grunt,** *grogner, grommeler.* Ici Sherlock Holmes pousse un grognement de satisfaction en trouvant ce qu'il cherche.

8. **to seek, I sought, sought,** *chercher ;* **to play hide and seek,** *jouer à cache-cache.*

9. ∆ prononciation [streindʒ] ; de même **change** [tʃeindʒ].

10. **to confess,** *avouer ;* **to confess to a crime,** *avouer un crime ;* **to confess to having done...** *avouer avoir commis...*

11. **recollection,** *souvenir.*

12. **none** [nʌn], *aucun, aucune,* pron. indéfini **none of** devant un subst. sg. ou pl. : **none of the bread,** *aucune partie du pain,* **none of the books,** *aucun des livres.*

"And yet you were with me then. But certainly my own impression was very superficial, for there was nothing to go by[1], and none of the parties[2] had engaged my services. Perhaps you would care[3] to read the papers ? »

"Could you not[4] give me the points ?"

"That is very easily done. It will probably come back to your memory as I talk. Ronder, of course, was a household word[5]. He was the rival of Wombwell, and of Sanger, one of the greatest showmen of his day. There is evidence[6], however, that he took to[7] drink, and that both he and his show were on the downgrade[8] at the time of the great tragedy.

The caravan had halted for the night at Abbas Parva, which is a small village in Berkshire[9], when this horror occurred[10]. They were on their way to Wimbledon, travelling[11] by road, and they were simply camping, and not exhibiting[12], as the place is so small a[13] one that it would not have paid them to open.

"They had among their exhibits a very fine North African lion. Sahara King was its name, and it was the habit, both of Ronder and his wife, to give exhibitions inside its cage.

---

1 . ⚠ tournure **to go by,** se fonder sur, s'appuyer sur. I'll go by what you say, je ferai (suivrai) ce que vous direz.

2 . ⚠ **party,** partie, parti, soirée, réunion, groupe ; signifie aussi, comme ici, personne, individu ; third-party insurance, assurance au tiers.

3 . ⚠ **to care to do something,** avoir envie de faire quelque chose, to care for something, avoir envie de...

4 . forme contractée, **couldn't you.**

5 . **a household word,** un nom (mot) connu de tous ; household, maisonnée, foyer, ménage (économie).

6 . ⚠ **evidence,** nom collectif preuve, d'où, une preuve, a piece of evidence.

7 . **to take to** + subst. ou forme en **-ing : to take to drink,** se mettre à boire, mais to take to smoking a pipe, se mettre à fumer la pipe ; to take to somebody, se prendre d'amitié pour quelqu'un.

8 . **on the downgrade,** « sur la pente descendante ».

« Et pourtant vous étiez avec moi à l'époque. Mais il est vrai que ma propre impression était très superficielle car il n'y avait rien sur quoi s'appuyer, et aucune des parties n'avait fait appel à mes services. Peut-être aimeriez-vous lire les documents ? »

« Ne pourriez-vous pas me donner les éléments importants ? »

« C'est très facile à faire. Les faits vont probablement vous revenir à la mémoire en m'entendant. Ronder, bien sûr, était un nom connu de tous. C'était le rival de Wombwell et de Sanger, un des plus grands montreurs d'animaux de son époque. Il y a des preuves, cependant, qu'il se mit à boire, et que lui-même et son spectacle étaient en déclin à l'époque de la grande tragédie.

La caravane avait fait halte pour la nuit à Abbas Parva, un petit village du Berkshire, quand les événements horribles se produisirent. Ils étaient en route pour Wimbledon, voyageant par la route, et ils étaient simplement en train de camper, et non en représentation, car c'est un endroit si peu peuplé que ce n'aurait pas été rentable de donner le spectacle.

Il y avait parmi les animaux qu'ils présentaient un très beau lion d'Afrique du Nord. Il s'appelait Sahara King (le Roi du Sahara), et Ronder et sa femme avaient l'un comme l'autre l'habitude de faire des exhibitions dans sa cage.

---

9 . ⚠ prononciation de **shire** seul, [ˈʃaiə] ; dans les composés **Bertshire, Hampshire** [ʃɪə, ʃə] ; on trouvera cependant la première prononciation dans le second cas.

10. ⚠ **to occur** [əˈkəː] l'accent tonique sur la dernière syllabe entraîne le doublement de la dernière consonne au passé et au participe présent **occurred, occurring**.

11. **to travel** [ˈtrævl], exception ici : l'accent est sur la première syllabe, mais **travelled, travelling ;** de même, **to marvel at** [ˈmaːvəl] **marvelled, marvelling,** *s'émerveiller de,* **to equal** [ˈiːkwəl] **equalled, equalling,** *égaler,* **to gambol** [ˈgæmbəl] **gambolled, gambolling ;** *gambader, cabrioler.* Cependant **traveled, equaled, marveled, gamboled** est admis en anglais américain.

12. ⚠ **to exhibit,** *montrer, exposer,* **exhibit,** *exposition, objets exposés, preuve* (objet).

13. ⚠ place de l'art. indéfini après **so small.**

Here, you see, is a photograph of the performance [1], by which you will perceive that Ronder was a huge porcine person and that his wife was a very magnificent woman. It was deposed [2] at the inquest that there had been some signs that the lion was dangerous [3], but, as usual, familiarity begat [4] contempt, and no notice [5] was taken of the fact.

"It was usual for either Ronder or his wife to feed [6] the lion at night. Sometimes one went, sometimes both, but they never allowed anyone else to do it, for they believed that so long as [7] they were the food-carriers he [8] would regard them as benefactors, and would never molest them. On this [9] particular night, seven years ago, they both went, and a very terrible happening [10] followed, the details of which have never been made clear.

"It seems that the whole camp was roused [11] near midnight by the roars of the animal and the screams [12] of the woman. The different grooms [13] and employés rushed from their tents, carrying lanterns, and by their light an awful sight was revealed.

---

1 . ▲ **performance,** représentation.

2 . **to depose,** déposer (témoin), d'où, témoigner ; autre traduction to bear witness, to testify.

3 . ▲ prononciation **dangerous** ['deindʒrəs].

4 . **begat** forme vieillie du passé to beget, I begot, begotten (got), engendrer ; on pourrait employer to bread, I bred, bred.

5 . **to take notice of something,** prendre garde à quelque chose, noter quelque chose.

6 . **to feed, I fed, fed,** nourrir.

7 . ▲ conjonction **so long as,** « aussi longtemps que », d'où, tant que.

8 . ▲ le lion, neutre dans le paragraphe précédent **(its name, its cage),** devient, **he,** en tant qu'acteur de la tragédie.

198

Voyez, ici, une photographie du numéro, où vous constatez que Ronder était un colosse d'allure porcine et que sa femme était une splendide créature. Selon des témoignages apportés au cours de l'enquête, certains signes avaient montré que le lion était dangereux, mais, comme toujours, la familiarité engendre le mépris et on n'y avait pas pris garde.

Il était habituel pour Ronder ou sa femme de nourrir le lion la nuit. Tantôt l'un d'eux y allait seul, tantôt ils y allaient ensemble, mais ils ne laissaient jamais personne le faire à leur place, car ils pensaient que tant qu'ils lui portaient sa nourriture il les considérerait comme ses bienfaiteurs, et ne s'attaquerait jamais à eux. Au cours de la nuit en question, il y a sept ans, ils y allèrent tous les deux, et une terrible tragédie s'ensuivit, dont les détails n'ont jamais été éclaircis.

« Il semble que le campement tout entier fut réveillé vers minuit par les rugissements de l'animal et les hurlements de la femme. Les divers palefreniers et employés sortirent de leurs tentes en courant, tenant des lanternes dont la lumière révéla un spectacle atroce.

---

9 . ▲ emploi de **this** au lieu de **that** (passé) car il s'agit de la nuit où a eu lieu la tragédie et sur laquelle on revient présentement.

10. ▲ subst. **happening**, *événement* ; **to happen**, *se passer* (hasard), **what happened** ? ; **a mishap**, *une mésaventure*.

11. **to rouse** [rauz], *éveiller, susciter* (passion, émotion, sentiment) ; **to arouse** [ə'rauz], *réveiller* (dormeur, curiosité, mépris, colère).

12. **scream** [skri:m], *cri aigu* (enfant, femme).

13. **groom**, *palefrenier, page, groom.*

Ronder lay [1], with the back of his head crushed in and deep claw-marks across his scalp, some ten yards from the cage, which was open. Close to the door of the cage lay Mrs Ronder, upon her back, with the creature squatting [2] and snarling [3] above her. It had torn [4] her face in such a fashion that it was never thought that she could live [5]. Several of the circus men, headed by Leonardo, the strong man, and Griggs, the clown, drove the creature off with poles [6], upon which it sprang back into the cage, and was at once locked in. How it had got loose [7] was a mystery. It was conjectured that the pair intended to enter the cage [8], but that when the door was loosed the creature bounded out [9] upon them. There was no other point of interest in the evidence, save that the woman in a delirium of agony [10] kept screaming, 'Coward ! Coward !' as she was carried back to the van in which they lived. It was six months before she was fit [11] to give evidence, but the inquest was duly held, with the obvious verdict of death from misadventure [12]. »

"What alternative could be conceived ?" said I.

"You may well say so [13]. And yet there were one or two points which worried young Edmunds, of the Berkshire Constabulary [14].

---

1 . rappel : **to lie down, I lay, lain,** s'étendre ; to lie, être étendu, être couché.

2 . **to squat,** s'accroupir, s'asseoir sur ses talons, d'où, to squat in a house, occuper une maison, squatter.

3 . **to snarl,** gronder (en montrant les crocs).

4 . le lion est redevenu neutre **(it).**

5 . « il n'était jamais pensé (on ne pensait jamais) qu'elle pourrait vivre ».

6 . ▲sens de la postp. **off** indiquant l'éloignement, d'où, **to drive off,** repousser ; **pole,** perche.

7 . ▲ rappel : **loose** [luːs], desserré, lâche, relâché ; to loose, délier, relâcher ; mais to lose [luːz] I lost, lost, perdre ; **loss** [lɔs], perte.

8 . ▲ **to enter** + complément direct (nom de lieu), pénétrer dans, mais to enter into a friendship, an association, a contract, a partnership et to enter an item in a ledger,

Ronder gisait, l'arrière du crâne défoncé et de profondes marques de griffes sur le cuir chevelu, à dix mètres environ de la cage, qui était ouverte. Près de la porte de la cage Mme Ronder était étendue sur le dos, le fauve accroupi et grondant au-dessus d'elle. Il avait déchiré son visage de façon telle qu'on n'imaginait pas qu'elle pût survivre. Plusieurs employés du cirque, conduits par Leonardo, l'hercule, et Griggs, le clown, repoussèrent l'animal avec des perches, sur quoi il sauta dans sa cage qui fut immédiatement refermée sur lui. Comment elle s'était ouverte était un mystère. On supposa que le couple avait l'intention d'entrer dans la cage, mais que, quand la porte fut ouverte, le fauve bondit sur eux. Il n'y avait pas d'autre élément intéressant dans les témoignages, sauf que la femme dans un paroxysme de souffrance ne cessait de hurler « Lâche ! Lâche ! » alors qu'on la transportait vers la roulotte où ils vivaient. Il fallut six mois pour qu'elle soit en état de témoigner, mais l'enquête se déroula dans les formes, et conduisit au verdict attendu de mort par accident.

« A quelle autre conclusion aurait-on pu arriver ? » dis-je.

« Vous avez raison. Et cependant il y avait un ou deux éléments qui tracassaient le jeune Edmunds, de la police du Berkshire.

---

porter *une écriture* sur un livre de comptes, d'où, **entry,** *écriture* (comptabilité).

9 . ⚠ sens de la posp. **out :** *sortir en bondissant.*

10. **agony,** *angoisse, supplice,* d'où *paroxysme* (d'une souffrance).

11. **to be fit,** *être en forme* (sportif), **to be a fit a proper person,** *être une personne digne de confiance.*

12. **death from misadventure,** *mort accidentelle,* à rapprocher de **manslaughter,** *homicide par imprudence* mais **wilful murder,** *homicide volontaire, meurtre avec préméditation.*

13. « vous pouvez bien le dire ». **I say so,** *je le dis ;* **I think so,** *je le pense,* **I hope so,** *je l'espère,* **I expect so,** *je l'espère,* **I believe so,** *je le crois ;* so reprend la question posée et y apporte une réponse affirmative : **Have they left ? I think so (I think they have).**

14. **constabulary,** *police* (ville), *gendarmerie* (campagne).

A smart lad [1] that [2] ! He was sent later to Allahabad. That was how I came into the matter [3], for he dropped in [4] and smoked a pipe or two over it [5]."

"A thin, yellow-haired man [6] ?"

« Exactly. I was sure you would pick up the trail [7] presently [8]."

"But what worried him ? "

"Well, we were both worried. It was so deucedly [9] difficult to reconstruct the affair. Look at it from the lion's point of view. He is liberated. What does he do ? he takes half a dozen bounds forward, which brings him to Ronder. Ronder turns to fly — the clawmarks were on the back of his head [10] — but the lion strikes him down [11]. Then, instead of bounding on and escaping, he returns to the woman, who was close to the cage, and he knocks her over and chews [12] her face up [13]. Then, again, thoses cries of hers [14] would seem to imply that her husband had in some way failed her [15].

What could the poor devil have done [16] to help her ? You see the difficulty ?"

"Quite."

---

1 . expression familière et affective, **smart**, *élégant, intelligent* ; **lad**, *garçon, jeune homme, gars.*

2 . emploi accentué de **that** et sa place.

3 . « j'entrai dans cette affaire » ; **to come into a matter**, *apprendre, être informé d'un problème.*

4 . **to drop in**, *passer voir quelqu'un, rendre visite.*

5 . **over it**, *là-dessus, sur cette affaire,* d'où *discuter.*

6 . adj. composé : adj. + nom + -ed, **yellow-haired**, with yellow hair.

7 . **trail**, *piste*, à rapprocher de **track**, **to follow the track, to trace.**

8 . rappel▲ **presently**, (GB) *bientôt*, mais (U.S.) *présentement.* **Currently**, *présentement.*

9 . **deucedly**, *sacrément, diablement* ; **deuce** ['djuːs], *satané, sacré*, euphémisme pour **devil**, *diable*, qui se retrouve dans **what the devil (did he do that for)** ? ; afin de ne pas invoquer le diable on dit : **What the deuce, the dickens** ; le même processus se retrouve dans l'emploi de

Un petit gars intelligent, celui-là ! Par la suite on l'envoya à Allahabad. C'est comme cela que je fus informé de l'affaire, car il me rendit visite et en discuta en fumant une pipe ou deux. »

« Un homme mince aux cheveux blonds ? »

« Exactement. J'étais sûr que vous retrouveriez bientôt la piste. »

« Mais qu'est-ce qui le tracassait ? »

« Eh bien, nous étions tous les deux troublés. C'était si diablement difficile de reconstruire l'affaire. Mettez-vous à la place du lion : il est libéré. Que fait-il ? Il fait une demi-douzaine de bonds en avant, ce qui l'amène près de Ronder. Ronder fait demi-tour pour s'enfuir — les marques de griffes sont sur sa nuque. Mais le lion le frappe et l'abat. Puis, au lieu de prendre la fuite en bondissant, il retourne vers la femme, qui était près de la cage, il la renverse et lui dévore le visage. Et puis, encore, les cris qu'elle pousse sembleraient indiquer que son mari l'a abandonnée d'une façon ou d'une autre.

Qu'aurait pu faire le pauvre diable pour lui venir en aide ? Vous voyez la difficulté ? »

« Tout à fait ».

---

blinking, blooming à la place de bloody ['blʌdi] qui est une contraction de by our lady et n'a rien à voir avec le sang blood.

10. les tirets peuvent être « traduits » par des virgules, des parenthèses ou maintenus.

11. sens de la postposition rendu par *abattre* (d'un coup, en le frappant).

12. **to chew** [tʃjuː] : *mâcher,* d'où *dévorer.*

13. postposition **up** indique l'achèvement complet d'une action ; **eat up your soup,** *finis ta soupe :* ici le lion s'acharne sur le visage de la victime.

14. construction pour renforcer l'attention sur l'objet ou la personne désignés **that (those)** + nom + **of** + pronom possessif : *vos (tes) (soi-disant) amis,* **those friends of yours ;** *mes livres,* those books of mine.

15. **to fail,** *manquer, rater ;* to fail somebody, *abandonner, trahir quelqu'un, ne pas secourir, seconder.*

16. « *que pouvait le pauvre diable avoir fait.* »

"And then there was another thing. It comes back to me now as I think it over [1]. There was some evidence that, just at the time the lion roared and the woman screamed, a man began shouting in terror."

"This man Ronder, no doubt."

"Well, if his skull was smashed in [2] you would hardly [3] expect to hear from him again. There were at least two witnesses [4] who spoke of the cries of a man being mingled with those of a woman."

"I should think [5] the whole camp was crying out by then [6]. As to the other points, I think I could suggest [7] a solution."

"I should be glad to consider it."

"The two were together, ten yards [8] from the cage, when the lion got loose. The man turned and was struck down. The woman conceived the idea of getting into the cage and shutting the door. It was her only refuge. She made for it [9], and just as she reached it the beast bounded after her and knocked her over. She was angry with her husband [10] for having encouraged the beast's rage by turning. If they had faced it [11], they might have cowed [12] it. Hence [13] her cries of 'Coward !'. "

"Brilliant, Watson ! Only one flaw [14] in your diamond [15]. »

« What is the flaw, Holmes ?"

---

1 . **to think something over,** *penser à quelque chose* (avec du recul), *songer à quelque chose* (implique action passée ou décision à prendre).

2 . **to smash,** *frapper violemment, briser,* d'où ici, avec la postp. **in,** *enfoncer, briser.*

3 . ▲ **hardly,** *à peine, guère, difficilement ;* « vous attendriez guère à l'entendre à nouveau ».

4 . **witness,** *témoin,* to bear **witness,** *porter témoignage, témoigner,* **witness stand,** *barre des témoins ;* pl. en -es.

5 . expression **I should think,** *j'ai l'impression.*

6 . **by,** tient compte du temps écoulé antérieurement ; **by now, he must be home,** *maintenant* (depuis ce temps) *il doit être arrivé.*

7 . ▲ prononciation de **suggest** [sədʒest].

« Et puis il y avait autre chose. Ça me revient maintenant que j'y pense. Il semble d'après des témoignages qu'à l'instant même où le lion se mit à rugir et la femme à crier, un homme se mit à hurler de terreur. »

« C'était Ronder, sans doute. »

« Hum, s'il avait le crâne brisé, ça paraît plutôt curieux. Au moins deux témoins ont parlé des cris d'un homme qui se mêlaient à ceux d'une femme. »

« J'ai l'impression que le campement tout entier s'était mis à crier à ce moment-là. Pour les autres points, je pense pouvoir suggérer une solution. »

« Je serais heureux de l'examiner. »

« Ils étaient tous deux à dix mètres de la cage quand le lion s'est échappé. L'homme s'est retourné et a été abattu. La femme a eu l'idée d'entrer dans la cage et d'en fermer la porte. C'était son seul refuge. Elle s'est élancée, et, juste comme elle l'atteignait, la bête lui a bondi dessus et l'a renversée. Elle était furieuse contre son mari d'avoir excité la rage de l'animal en lui tournant le dos. S'ils lui avaient fait face, peut-être l'auraient-ils dompté. D'où ses cris de « Lâche ! ». »

« Brillant, Watson ! Une seule faille dans votre beau raisonnement. »

« Laquelle, Holmes ? »

---

8. **one yard**, exactement *91,44 centimètres,* d'où, **ten yards,** *dix mètres.*

9. **to make for** (a place), *se diriger,* ici, *s'élancer* (vers un endroit).

10. **to be angry with somebody,** *être fâché contre quelqu'un,* **to be angry at something,** *être en colère à cause de quelque chose.*

11. **to face something,** *faire face à quelque chose* (problème, menace) ; **it** : *le lion* est toujours neutre.

12. **to cow** [kau], *effrayer, intimider.*

13. rappel **hence,** *d'où, par conséquent, de là.*

14. **flaw,** *paille* (métal, *défaut, faille* (caractère, plan).

15. m. à m. **diamant,** d'où *beau raisonnement.*

"If they were both ten paces from the cage, how came [1] the beast to get loose [2] ?"

"It is possible that they had some enemy who loosed it ?"

"And why should it attack [3] them savagedly when it was in the habit of playing with them, and doing tricks [4] with them inside the cage ?"

"Possibly the same enemy had done something to enrage it."

Holmes looked thoughtful and remained in silence for some moments.

"Well, Watson, there is this to be said [5] for your theory. Ronder was a man of many enemies [6]. Edmunds told me that in his cups [7] he was horrible. A huge bully of a man [8], he cursed [9] and slashed [10] at everyone who came in his way. I expect those cries about a monster, of which our visitor has spoken, were nocturnal reminiscences of the dear departed [11]. However, our speculations are futile until we have all the facts. There is a cold partridge on the sideboard [12], Watson, and a bottle of Montrachet [13]. Let us renew our energies before we make a fresh call upon [14] them."

When our hansom [15] deposited us at the house of Mrs Merrilow, we found that plump [16] lady blocking up the open door of her humble but retired [17] abode [18].

---

1 . expression **how came** (that), *comment se fit-il (que)* ; how comes (that), how is it (that), *comment se fait-il (que)*.

2 . **to get loose,** *se libérer, se sauver.*

3 . **should** indique ici la surprise, l'étonnement et met en doute la probabilité de l'action.

4 . « faire des tours » (numéros) ; **trick,** *tour, truc, farce ;* to play a (dirty) trick on somebody, *jouer un tour à quelqu'un.*

5 . infinitif passé : « Il y a cela à dire » ; à rapprocher **what is there to be done** ? *que peut-on faire ?*

6 . « Un homme de nombreux ennemis » ; expression à retenir tout comme **a man of many friends.**

7 . **to be in one's cups,** *être ivre.*

8 . **a huge bully of a man,** expression familière ; **huge** [hju:dʒ], *énorme ;* **bully** ['bu:li], *brute, élève qui brutalise le reste de la classe ;* a beauty of a woman, *une belle femme.*

« S'ils étaient tous les deux à dix pas de la cage, comment l'animal a-t-il pu s'échapper ? »

« Est-il possible qu'ils aient eu un ennemi qui l'ait libéré ?»

« Et pourquoi les aurait-il attaqués sauvagement, alors qu'il avait l'habitude de jouer avec eux, et de répéter son numéro avec eux dans la cage ? »

« Peut-être l'ennemi en question avait-il fait quelque chose pour le rendre enragé. »

Holmes prit un air pensif et resta silencieux quelques instants.

« Eh bien, Watson, voici ce qu'on peut dire en faveur de votre théorie : Ronder avait de nombreux ennemis. Edmunds m'a dit que quand il avait bu il était terrible. C'était une brute énorme, qui injuriait et frappait tous ceux qui se trouvaient sur son chemin. J'imagine que ces cris au sujet d'un monstre, qu'a mentionnés notre visiteuse, étaient des réminiscences nocturnes du cher disparu. Mais nos spéculations sont inutiles tant que nous n'avons pas tous les faits. Il y a une perdrix froide sur le buffet, Watson, et une bouteille de montrachet. Restaurons nos énergies avant d'y faire appel à nouveau. »

Lorsque notre cabriolet nous déposa devant la maison de Mme Merrilow, nous trouvâmes cette matrone obstruant la porte ouverte de son humble demeure isolée.

---

9 . **to curse** [kə:s], *maudire, jurer.*
10. **to slash** [slæʃ] *entailler* (couteau), *balafrer,* puis, *cingler* (fouet, bâton) ici avec ses bras, d'où *frapper.*
11. **to depart** *partir,* ici, *mourir ;* le part. passé, employé après le nom **dear,** donne une note humoristique à la description.
12. **sideboard,** *buffet, console.*
13. vin réputé de Bourgogne.
14. **fresh,** *nouveau ;* rappel : **to call (up)on somebody,** *rendre visite à quelqu'un,* d'où, **a call up(on),** *une visite* à.
15. **hansom,** *voiture à deux roues* tirée par un cheval.
16. **plump,** *potelé, bien en chair.*
17. rappel : **retired,** *retiré, en retrait ;* **to retire,** *prendre sa retraite, se retirer.*
18. **abode,** *demeure ;* (archaïque, ironique) **please, enter our humble abode ;** rappel **to abide by,** *demeurer à, s'en tenir à.*

207

It was very clear that her chief [1] preoccupation was lest she should lose [2] a valuable lodger, and she implored us, before showing us up [3], to say and do nothing which could lead to so undesirable an end [4]. Then, having reassured her, we followed her up the straight, badly-carpeted [5] staircase and were shown into the room [6] of the mysterious lodger.

It was a close [7], musty [8], ill-ventilated [9] place, as might be expected, since its inmate [10] seldom left it. From keeping beasts in a cage, the woman seemed, by some retribution of Fate [11], to have become herself a beast in a cage. She sat now in a broken arm-chair in the shadowy corner of the room. Long years of inaction had coarsened [12] the lines of her figure [13], but at some period it must have been beautiful, and was still full and voluptuous. A thick dark veil covered her face, but it was cut off close at her upper lip [14], and disclosed a perfectly-shaped [15] mouth and a delicately-rounded [16] chin. I could well conceive that she had indeed been a very remarkable woman. Her voice, too, was well-modulated [17] and pleasing.

"My name is not unfamiliar to you, Mr Holmes," said she. "I thought that it would bring you."

---

1 . **chief,** adj. *principal.*

2 . **lest she should lose,** *de peur qu'elle ne perde ;* **lest,** *de peur que,* après expressions ou verbes indiquant crainte, appréhension ; on pourrait employer, **for fear,** qui entraîne de même l'usage de **should ;** en anglais parlé on utilisera, in case, I am telling you this, in case you make a mistake ; *je vous dis cela de peur que vous ne commettiez une erreur, afin de vous éviter une erreur.*

3 . **to show somebody in,** *faire entrer quelqu'un, introduire quelqu'un,* ici la postp. **up** indique que Watson et Holmes sont invités à monter à l'étage.

4 . place de **an** dans **so undesirable an end.**

5 . adj. composé adverbe + nom + **-ed ;** autre exemple avec part. passé : **badly-lit,** *à l'éclairage défectueux.*

6 . cf. remarque 3 ; ici la préposition **into** indique l'entrée de Watson et de Holmes dans la pièce.

7 . **close** [kləus], *proche* to *de, étroit, mal aéré.*

8 . **musty** ['mʌsti], *moisi, qui sent le moisi.*

Il était clair que sa crainte principale était de perdre une précieuse pensionnaire, et elle nous implora, avant de nous faire monter, de ne rien dire et de ne rien faire qui puisse avoir un aussi fâcheux résultat. Donc, l'ayant rassurée, nous montâmes derrière elle un escalier au tapis en mauvais état et fûmes introduits dans la chambre de la mystérieuse pensionnaire.

C'était un lieu clos, sentant le renfermé, mal aéré, comme on pouvait s'y attendre puisque celle qui y vivait en sortait rarement. Pour avoir gardé des animaux en cage, cette femme semblait, par un châtiment du destin, être devenue elle-même une bête dans une cage. Elle était assise dans un fauteuil bancal dans le coin sombre de la pièce. De longues années d'inaction avaient épaissi sa silhouette, mais elle avait dû jadis être belle, et restait bien en chair et voluptueuse. Un voile épais de couleur sombre lui cachait le visage, mais il était coupé net au-dessus de la lèvre supérieure et révélait une bouche d'une régularité parfaite et un menton aux contours délicats. Je n'avais pas de mal à imaginer qu'elle avait dû être une femme très remarquable. Sa voix, elle aussi, était agréable et bien modulée.

« Mon nom ne vous est pas inconnu, Monsieur Holmes », dit-elle. « J'ai pensé qu'il vous ferait venir. »

---

9 . **ill-ventilated,** adj. composé adverbe + part. passé, *mal aéré.*
10. **inmate,** *occupant, résident, détenu, prisonnier* (qui est presque le sens ici).
11. ▲ **retribution,** *châtiment, récompense* (d'une mauvaise action) ; **Fate,** *destin, sort.*
12. **to coarsen,** *rendre grossier, rugueux, inélégant,* formé sur **coarse** ; rappel : **short, to shorten, black, to blacken.**
13. ▲ **figure,** *chiffre, silhouette, face, visage, figure.*
14. rappel : comparatif **upper,** *supérieur,* emploi idiomatique dans groupe de deux unités, *la lèvre supérieure ;* **the upper lip ;** *la chambre basse* (du Parlement), **the lower house,** *la chambre haute,* **the upper house.**
15. adj. composé adverbe + participe passé, **perfectly-shaped,** *de forme parfaite.*
16. idem : **delicately-rounded,** *aux contours délicats.*
17. idem : **well-modulated,** *bien modulé.*

"That is so, madam, though I do not know how you are aware that I was interested in your case [1]."

"I learned it when I had recovered [2] my health and was examined [3] by Mr Edmunds, the County [4] detective. I fear [5] I lied to him. Perhaps it would have been wiser had I told the truth [6]."

"It is usually wiser to tell the truth. But why did you lie to him ?"

"Because the fate of someone else depended upon it [7]. I know that he was a very worthless being, and yet I would not have his destruction upon my conscience. We had been so close — so close !"

"But has this impediment [8] been removed ? "

"Yes, sir. The person that I allude to [9] is dead. "

"Then why should you not [10] now tell the police anything you know ? "

"Because there is another person to be considered. That other person is myself. I could not stand the scandal and publicity which would come from a police examination. I have not long to live, but I wish to die undisturbed. And yet I wanted to find one man of judgement to whom [11] I could tell my terrible story, so that when I am gone all might be understood."

"You compliment me, Madam. At the same time [12], I am a responsible person. I do not promise [13] you that when you have spoken I may not myself think it my duty to refer the case to the police."

---

1 . ⚠ prép. **to be interested in something,** forme -ing.

2 . **to recover,** recouvrer, ou seul, se rétablir ; « lorsque j'eus retrouvé la santé ».

3 . ⚠ prononciation **to examine** [ɪ'gzæmɪn], examiner ; to **determine** [dɪ'tɜ:mɪn], déterminer ; mais to **mine** [main], miner, to **undermine** [ˌʌndə'main], saper.

4 . ⚠ prononciation **county** ['kaʊntɪ], comté ; **country** ['kʌntrɪ], campagne, pays.

5 . I **fear,** j'ai peur, je crains, mais aussi, je dois avouer.

6 . ⚠ construction **had I told,** soit if **I had told,** si j'avais dit la vérité.

7 . prép. **to depend (up) on something,** dépendre de quelque chose.

8 . **impediment,** obstacle, entrave, gêne, obstruction ; to impede [ɪmpi:d], empêcher, gêner, entraver.

« C'est un fait, Madame, bien que j'ignore comment vous savez que je m'intéressais à votre cas. »

« Je l'ai appris après ma guérison, lorsque je fus interrogée par l'Inspecteur Edmunds, le détective du Comté. Je dois avouer que je lui ai menti. Il aurait peut-être été plus sage de lui dire la vérité. »

« C'est en général plus sage de dire la vérité. Mais pourquoi lui avez-vous menti ? »

« Parce que le sort de quelqu'un d'autre en dépendait. Je sais que c'était un être méprisable, mais je ne voudrais pas avoir sa destruction sur la conscience. Nous avions été si proches, si proches ! »

« Mais cette réserve a-t-elle disparu ? »

« Oui, monsieur. La personne dont je parle est morte. »

« Alors pourquoi ne pas dire, maintenant, à la police tout ce que vous savez ? »

« Parce qu'il y a une autre personne à considérer. Cette autre personne est moi-même. Je ne pourrais pas supporter le scandale et la publicité que causerait une enquête policière. Il ne me reste pas longtemps à vivre, mais je veux mourir paisiblement. Et pourtant je voulais trouver un homme de jugement à qui je puisse raconter ma terrible histoire, afin que tout puisse être compris quand je ne serai plus.

« Vous me faites beaucoup d'honneur, Madame. Par ailleurs, je suis une personne responsable. Je ne vous promets pas que, quand vous m'aurez parlé, je ne puisse penser qu'il est de mon devoir de remettre l'affaire entre les mains de la police. »

---

9 . ⚠ la prép. **to** est placée à la fin de la proposition relative ; **to allude to something,** *faire allusion à quelque chose ;* on aurait pu avoir **the person to whom I allude.**

10. forme contractée : **shouldn't you.**

11. cf. note 8 ; ici la prép. **to** est placée devant le pronom relatif complément **whom ;** ⚠ dans les propositions interrogatives cette forme est remplacée par **who, who did you see ? who did you speak to ?** mais **to whom did you speak.**

12. ⚠ ne pas calquer la tournure française (prép. **at) :** *en même temps,* **at the same time.**

13. ⚠ prononciation, **to promise** ['prɔmɪs] v. et subst, *promettre, promesse.*

"I think not [1], Mr Holmes. I know your character [2] and methods too well, for I have followed your work for some years [3]. Reading is the only pleasure which Fate has left me, and I miss little which passes in the world. But in any case, I will take my chance of the use [4] which you may make of my tragedy. I will ease my mind to tell it."

"My friend and I would be glad to hear it."

The woman rose and took from a drawer [5] the photograph of a man. He was clearly a professional acrobat, a man of magnificent physique, taken with his huge arms folded across his swollen [6] chest and a smile breaking [7] from under his heavy moustache — the self-satisfied smile of the man of many conquests.

"That is Leonardo", she said.

"Leonardo, the strong man, who gave evidence ?"

"The same. And this — this is my husband."

It was a dreadful [8] face — a human pig, or rather a human wild boar, for it was formidable [9] in its bestiality. One could imagine that vile [10] mouth champing [11] and foaming [12] in its rage, and one could conceive those small, vicious [13] eyes darting [14] pure malignancy [15] as they looked forth [16] upon the world.

---

1 . construction négative : **I think not ;** l'affirmation serait I think so ; I hope not, *j'espère que non, je ne l'espère pas,* I hope so, *je l'espère.*

2 . ▲ **character,** ici, *réputation ;* (certificate of) character, *recommandation, certificat ;* character (in a novel, play), *personnage* (de roman, de pièce de théâtre) ; he is quite a character, *c'est un personnage* (original), *caractère* (La Bruyère) ; she has the same character as her sister, *elle a le même caractère que sa sœur.*

3 . rappel : *present perfect* rendu par un présent (action commencée dans le passé qui dure encore).

4 . ▲ prononciation **use** (substantif) [juːs], mais to use [juːz].

5 . ▲ prononciation : **drawer** [drɔː], *tiroir ;* [drɔːə], *tireur* (lettre de change, traite, chèque) ; drawers [drɔːz] *caleçon.*

6 . ▲ **to swell, I swelled, swollen (swelled),** *gonfler, enfler.*

« Je ne le crois pas, Monsieur Holmes. Je connais trop bien votre réputation et vos méthodes, car je suis vos activités depuis plusieurs années. La lecture est le seul plaisir que le sort m'a laissé, et peu de ce qui se passe dans le monde m'échappe. Mais, de toute façon, je vais prendre mes risques quant à l'utilisation que vous pourrez faire de ma tragédie. La raconter apaisera ma conscience. »

« Mon ami et moi-même aimerions l'entendre. »

La femme se leva et prit dans un tiroir la photo d'un homme. C'était visiblement un acrobate professionnel, un homme au physique splendide, pris avec ses bras énormes croisés sur sa poitrine gonflée, et un sourire apparaissant sous son épaisse moustache — le sourire d'autosatisfaction d'un homme aux nombreuses conquêtes.

« Voilà Leonardo », dit-elle.

« Leonardo, l'hercule, qui a témoigné ? »

« Lui-même. Et voici — voici mon mari. »

C'était un visage terrible — un porc humain, ou plutôt un sanglier humain car il était formidable dans sa bestialité. On imaginait cette bouche ignoble se contractant et écumant de rage. On croyait voir ces petits yeux haineux dardant sur le monde leur pure méchanceté.

---

7 . **to break,** ici, *apparaître,* à rapprocher de **at daybreak,** *au lever du jour,* **the dawn is breaking,** *l'aube apparaissait, se levait.*

8 . **dreadful,** *affreux, atroce, redoutable, terrible ;* ces sens sont parfois affaiblis, comme en français : **I feel dreadful,** *je ne me sens pas bien.*

9 . **formidable,** *formidable* (sens premier), *redoutable, effrayant ; c'est formidable !* **it's terrific !**

10. △ prononciation **vile** [vail], *vile, ignoble.*

11. **to champ** [tʃæmp], *mâchonner, d'où se contracter ;* **he was champing the bit,** *il rongeait son frein.*

12. **to foam,** *écumer, mousser.*

13. ▲ **vicious** ['vɪʃəs], *méchant, malveillant, pervers,* **vicious circle,** *cercle vicieux.*

14. **to dart,** *lancer* (fléchette, rayons).

15. **malignancy** [mə'lɪgnənsɪ], *méchanceté, malveillance.*

16. **forth,** adv., *en avant ;* « comme ils regardaient ».

213

Ruffian, bully, beast — it was all written on that heavy-jowled [1] face.

"Those two pictures will help you, gentlemen, to understand the story. I was a poor circus girl brought up on the sawdust [2], and doing springs through the hoop [3] before I was ten. When I became a woman this man loved me, if such lust [4] as his can be called love, and in an evil [5] moment I became his wife. From that [6] day I was in hell, and he the devil who tormented me. There was no one in the show who did not know of his treatment [7]. He deserted me for others. He tied me down, and lashed me with his riding-whip when I complained. They all pitied me [8] and they all loathed [9] him, but what could they do ? They feared him, one and all [10]. For he was terrible at all times, and murderous [11] when he was drunk. Again and again he was had for assault [12], and for cruelty to the beasts, but he had plenty of money and the fines [13] were nothing to him. The best men all left us and the show began to go downhill [14]. It was only Leonardo and I who kept it up [15] — with little Jimmy Griggs, the clown. Poor devil, he had not much to be funny about [16], but he did what he could to hold things together.

Then Leonardo came more into my life. You see what he was like [17].

---

1. adj. composé : adj. + subst. +-ed. ; jowl [dʒaul], *mâchoire, bajoue.*
2. sawdust, *sciure,* d'où *arène ;* saw [sɔ:], *scie,* dust [dʌst], *poussière.*
3. hoop [hu:p], *cercle, cerceau.*
4. lust [lʌst] *désir, luxure, lubricité, convoitise.*
5. evil ['i:vl], *mauvais, méchant, funeste.*
6. what indiquant passé, éloignement, rejet.
7. « il n'y avait personne dans le spectacle qui ne connaissait pas son traitement (à mon égard) » ; his indique qu'il s'agit du traitement qu'il lui faisait subir.
8. compl. d'objet direct après to pity, *avoir pitié de.*
9. to loathe [ləuð] *détester, avoir en horreur, ressentir de la répugnance vis-à-vis de ;* haïr, to hate.
10. « ils avaient peur de lui, un et tous ».
11. murderous, *meurtrier féroce,* d'où *sanguinaire.*

Brute, bravache, créature bestiale, tout cela était écrit sur ce visage aux épaisses bajoues.

« Ces deux photos vous aideront, Messieurs, à comprendre l'histoire. J'étais une pauvre fille du cirque élevée dans la piste, et sautant à travers un cerceau avant même d'avoir dix ans. Quand je devins une femme, cet homme m'aima, si une telle convoitise mérite le nom d'amour, et dans un moment funeste je devins son épouse. Depuis ce jour ce fut pour moi l'enfer, et il fut le démon qui me tourmentait. Il n'y avait personne dans le cirque qui ne sût comment il me traitait. Il m'abandonnait pour d'autres. Il m'attachait et me fouettait avec sa cravache quand je me plaignais. Ils avaient tous pitié de moi, et tous l'avaient en horreur, mais que pouvaient-ils faire ? Ils avaient peur de lui, tous autant qu'ils étaient. Car il était terrible en toute occasion, et sanguinaire quand il était ivre. Mainte et mainte fois il fut arrêté pour coups et blessures, ou pour cruauté à l'égard des animaux, mais il avait beaucoup d'argent et les amendes n'étaient rien pour lui. Les meilleurs nous quittèrent tous, et le spectacle commença à décliner. Seul Leonardo et moi-même l'empêchions de sombrer, avec le petit Jimmy Griggs, le clown. Pauvre diable, il n'avait pas beaucoup de raisons de rire, mais il faisait ce qu'il pouvait pour que ça continue.

Et puis Leonardo est entré de plus en plus dans ma vie. Vous l'avez vu sur la photo.

---

12. **he was had,** tournure familière, *il fut pincé,* **assault and battery,** *coups et blessures.*
13. **a fine,** *une amende ;* **to fine,** *donner une contravention, condamner à une amende ;* **a ticket,** *une amende, contravention,* **a parking ticket,** *« papillon », « contredanse ».*
14. **to go downhill,** *descendre la pente, décliner,* **to go uphill,** *monter* (route, côte) ; **an uphill road,** *une route qui monte.*
15. **to keep something up,** *maintenir quelque chose à son niveau,* d'où, *empêcher quelque chose de sombrer.*
16. renvoi de la préposition ; **to be funny about,** soit **about which to be funny.**
17. tournure **what he was like,** *à quoi il ressemblait ;* **what was your trip like ?** *comment était votre voyage ?* **what is the weather like ?** *quel temps fait-il ? comment est le temps ?*

I know now the poor spirit [1] that was hidden [2] in that splendid body, but compared to my husband he seemed like the Angel Gabriel [3]. He pitied me and helped me, till at last our intimacy turned to love — deep, deep, passionate love, such love as [4] I had dreamed of [5] but never hoped to feel. My husband suspected it, but I think that he was a coward as well as a bully, and that Leonardo was the one [6] man that he was afraid of [7]. He took revenge in his own way by torturing me more than ever [8]. One night my cries brought Leonardo to the door of our van. We were near tragedy that night, and soon my lover and I understood that it could not be avoided. My husband was not fit to live. We planned that he should die.

Leonardo had a clever, scheming [9] brain. It was he [10] who planned it. I do not say that to blame him, for I was ready to go with him every inch of the way [11]. But I should never have had the wit [12] to think of such a plan. We made a club — Leonardo made it — and in the leaden [13] head he fastened [14] five long steel nails, the points outwards, with just such a spread [15] as the lion's paw [16]. This was to give my husband his deathblow, and yet to leave the evidence that it was the lion which we would loose who had done the deed [17].

---

1. **spirit,** *esprit, courage, disposition ;* **mind,** *esprit, intelligence, avis,* **character,** *caractère, détermination, volonté, réputation ;* **temper,** *caractère, tempérament, humeur ;* **wit,** *esprit, astuce, intelligence.*

2. rappel **to hide, I hid, hidden.**

3. ⚠ prononciation : **Gabriel** ['geibriəl].

4. « un amour tel que »... ; absence d'article indéfini devant nom abstrait.

5. rejet de la préposition : **to dream of something,** *rêver de quelque chose.*

6. **the one man,** *le seul, l'unique homme :* ⚠ emploi de **that** après cette tournure, de même après **the only, the last,** et les superlatifs réguliers.

7. rejet de la préposition : **to be afraid of,** *avoir peur de.*

8. **more than ever,** *plus que jamais,* emploi de **ever,** *jamais,* dans affirmations **if I ever see her again,** *si jamais je la revois ;* **never,** *ne... jamais,* **I never saw her again,** *je ne l'ai jamais revue.*

Je sais maintenant quel faible caractère se cachait dans ce corps splendide, mais comparé à mon mari on aurait dit l'Archange Gabriel. Il eut pitié de moi et m'aida, jusqu'à ce que notre intimité devienne de l'amour — un amour profond, profond, et passionné, semblable à l'amour dont j'avais rêvé sans espoir de le rencontrer. Mon mari eut des soupçons, mais je crois que c'était un lâche en même temps qu'une brute, et que Leonardo était le seul homme dont il avait peur. Il se vengea à sa façon en me martyrisant plus que jamais. Une nuit mes cris amenèrent Leonardo à la porte de notre roulotte. Nous frôlâmes la tragédie cette nuit-là, et bientôt mon amant et moi-même comprîmes qu'elle ne pourrait être évitée. Mon mari n'était pas digne de vivre. Nous décidâmes qu'il devait mourir.

Leonardo avait un esprit malin et rusé. C'est lui qui a tout machiné. Je ne dis pas cela pour l'accabler car j'étais prête à le suivre jusqu'au bout. Mais je n'aurais jamais eu l'idée d'un tel plan. Nous fabriquâmes une massue — c'est Leonardo qui la fit. Il fixa dans la tête en plomb cinq longs clous d'acier, la pointe vers l'extérieur, aux dimensions de la patte du lion. C'était pour assener à mon mari le coup mortel, tout en faisant croire que c'était le lion, que nous libérerions, qui avait accompli l'acte.

---

9. △ prononciation **to scheme** [ski:m], *comploter, intriguer, conspirer ;* a scheme, *plan, projet, complot, machination,* d'où ici **scheming,** *rusé.*

10. △ **he** sujet dans **it was he who,** *ce fut lui qui...,* it was she who, it was we who, it was they who, it was you who, mais l'usage admet it is me, *c'est moi ;* it is her, it is him.

11. « j'étais prête à aller avec lui (à l'accompagner) sur chaque pouce du chemin » ; **one inch,** *un pouce (2,54 centimètres)* d'où *le suivre jusqu'au bout.*

12. **wit :** voir note 1 !

13. △ prononciation **lead** [led], *plomb,* **leaden** [ledn], *de plomb ;* soldat de plomb, tin soldier, fuses, *fusibles, plombs.*

14. **fast,** *rapide,* mais aussi, *solide, bien attaché,* d'où **to fasten** [fa:sn], *attacher.*

15. « d'une largeur exactement identique à celle de... » ; **to spread** [spred] I spread, spread, *étaler.*

16. cas possessif avec **lion** considéré comme un personnage △ **paw** [pɔ:] *patte (animal).*

17. **deed,** *action, acte, acte notarié, titre* (de propriété), title deed.

It was a pitch-dark [1] night when my husband and I
went down, as was our custom [2], to feed the beast.
We carried with us the raw meat in a zinc [3] pail.
Leonardo was waiting at the corner of the big van
which we should have to pass before we reached the
cage. He was too slow, and we walked past him [4]
before he could strike, but he followed us on tiptoe [5]
and I heard the crash as the club smashed my
husband's skull. My heart leaped with [6] joy at the
sound. I sprang [7] forward, and I undid the catch [8]
which held the door of the great lion's cage.

And then the terrible thing happened. You may
have heard how quick these creatures are to scent [9]
human blood, and how it excites them. Some strange [10]
instinct had told the creature in one instant that a
human being had been slain [11]. As I slipped the bars
it bounded out, and was on me in an instant. Leonardo
could have saved me. If he had rushed forward and
struck the beast with his club he might have cowed
it. But the man lost his nerve [12]. I heard him shout [13]
in his terror, and then I saw him turn and fly [14]. At
the same instant the teeth of the lion met in my face [15].
Its hot, filthy, breath [16] had already poisoned me and
I was hardly conscious of pain.

With the palms [17] of my hands I tried to push the

---

1 . **pitch-dark,** (nuit) *noire ;* pitch, *poix.*

2 . **custom,** *usage, habitude ;* ▲ customs, *douane.*

3 . ▲[ziŋk] prononciation de **zinc.**

4 . prép. **past,** *devant,* d'où *passer devant* (en marchant,
en courant...) to walk past, to run run past, *dépasser* ici.

5 . **to walk on tiptoes,** *marcher sur la pointe des pieds,*
aussi v. to tiptoe, même sens ; tip, *bout* (doigt), **toe,** *orteil.*

6 . ▲prép. **to leap (jump) with joy,** *sauter de joie ;* to cry
for joy, *pleurer de joie ;* to cry with pain, *pleurer de
douleur ;* to cry with rage, *pleurer de rage ;* ▲prononcia-
tion : **to leap** [li:p], **I leaped** [li:pt], **lept** [lept] ; aussi I
leapt, leapt ; de même to read [ri:d], I read [red], read
[red].

7 . **to spring, I sprang, sprung,** *bondir,* d'où ici, *se
précipiter.*

« Il faisait nuit noire quand mon mari et moi-même sortîmes pour aller, à notre accoutumée, nourrir l'animal. Nous transportions la viande crue dans un seau en zinc. Leonardo attendait au coin de la grande roulotte, devant laquelle il nous faudrait passer avant d'atteindre la cage. Il fut trop lent, et nous le dépassâmes avant qu'il pût frapper, mais il nous suivit sur la pointe des pieds et j'entendis le choc lorsque la massue écrasa le crâne de mon mari. A ce bruit, mon cœur bondit de joie. Je me précipitai pour ouvrir le verrou qui fermait la porte de la cage du grand lion.

C'est alors qu'une chose terrible se produisit. Vous avez peut-être entendu dire combien ces créatures sont rapides à flairer le sang humain, et combien cela les excite. Quelque étrange instinct avait immédiatement averti l'animal qu'un être humain avait été tué. Comme je faisais glisser les verrous il sortit d'un bond et fut aussitôt sur moi. Leonardo aurait pu me sauver. S'il s'était précipité pour frapper la bête avec sa massue il aurait pu l'intimider. Mais il flancha. Je l'entendis crier de terreur, puis je le vis faire demi-tour et s'enfuir. Au même instant les crocs du lion se resserraient sur mon visage. Son haleine chaude et fétide m'avait déjà empoisonnée et je fus à peine consciente de la douleur.

« De la paume de mes mains, je tentai de repousser les

---

8 . **catch,** *verrou.*
9 . **to scent,** *sentir, flairer, pressentir.*
10. ⚠ [streindʒ] prononciation de **strange.**
11. **to slay, I slew** [slu:], **slain,** *abattre, tuer.*
12. **nerve,** *courage,* ici, *nerf, sang-froid ;* **what a nerve !** *quel toupet !*
13. **to hear** + infinitif sans **to.**
14. **to fly, I flew, flown,** *voler,* aussi *fuir, s'enfuir ;* **to flee, I fled, fled,** *s'enfuir ;* **to see** + infinitif sans **to** (verbes de perception suivis de l'infinitif).
15. « *se rencontraient sur mon visage* ».
16. ⚠ prononciation **breath** [breθ] ; **to breathe** [bri:ð] *respirer.*
17. ⚠ prononciation **palm** [pa:m], *paume ;* **calm** [ka:m], *calme, tranquille.*

great steaming [1], blood-stained [2] jaws [3] away from me, and I screamed for help. I was conscious that the camp was stirring [4], and then dimly [5] I remember a group of men, Leonardo, Griggs and others, dragging me from under the creature's paws. That was my last memory, Mr Holmes, for many a weary [6] month. When I came to myself, and saw myself in the mirror, I cursed that lion — oh, how I cursed him ! — not because he had torn [7] away my beauty, but because he had not torn away my life. I had but [8] one desire, Mr Holmes, and I had enough money to grafity it [9]. It was that I should cover myself so that my poor face should be seen by none, and that I should dwell where none whom I had ever known should find me. That was all that was left to me to do [10] — and that is what I have done. A poor wounded [11] beast that has crawled [12] into its hole to die — that is the end of Eugenia Ronder."

We sat in silence for some time after the unhappy woman had told her story. Then Holmes stretched out his long arm [13] and patted [14] her hand with such a show of sympathy as I had seldom known him to exhibit.

"Poor girl !" he said. "Poor girl ! The ways of Fate are indeed hard to understand.

If there is not some compensation hereafter [15], then the world is a cruel jest [16]. But what of this man [17] Leonardo ?"

---

1 . **steam,** *vapeur,* d'où ici, **steaming.** (haleine) *fumante.*

2 . adj. composé, subst. + part. passé, *taché de sang,* d'où, *sanguinolent ;* △prononciation de **blood** [blʌd], *sang.*

3 . △ **jaw** [dʒɔ:], *mâchoire.*

4 . « je fus consciente que le campement s'agitait » ; **to stir** [stɜ:] *bouger, remuer.*

5 . dim, *sombre,* d'où ici **dimly,** *vaguement.*

6 . △prononciation **weary** ['wɪərɪ], *las, épuisé, pénible* (à supporter), tired, *fatigué ;* **exhausted,** *épuisé.*

7 . rappel : **to tear** [tɛə], **I tore, torn,** *déchirer, arracher.*

8 . rappel : **but,** *sauf, excepté.*

9 . ▲ **to gratify.** *satisfaire* (personne, caprice).

10. △*tǫut ce que,* **all that.**

11. **wounded,** *blessé* (balle, couteau) ; **injured,** *blessé* (accident) ; de même **wound, injury.**

énormes mâchoires fumantes et sanguinolentes, et je hurlai au secours. Je fus consciente d'une agitation dans le campement et je me souviens vaguement ensuite d'un groupe d'hommes, Leonardo, Griggs et d'autres, m'arrachant aux griffes de l'animal. Tel fut mon dernier souvenir, Monsieur Holmes, pendant les longs mois pénibles qui suivirent. Quand je revins à moi et me vis dans un miroir, je maudis ce lion — oh combien je le maudis ! — non parce qu'il m'avait arraché ma beauté, mais parce qu'il ne m'avait pas arraché la vie. Je n'avais qu'un désir, Monsieur Holmes, et j'avais assez d'argent pour le réaliser. C'était de cacher mon pauvre visage pour que personne ne puisse le voir, et d'habiter là où aucun de ceux que j'avais connus ne puissent jamais me trouver. C'est tout ce qui me restait à faire et c'est ce que j'ai fait. Une pauvre créature blessée qui s'est terrée dans son trou pour y mourir — telle est la fin d'Eugénie Ronder. »

Nous restâmes quelque temps assis en silence après que la malheureuse femme nous eut conté son histoire. Puis Holmes, de son long bras maigre, lui tapota la main en exprimant une sympathie que je l'avais rarement vu manifester.

« Ma pauvre enfant ! » dit-il. « Ma pauvre enfant ! Les voies du destin sont décidément difficiles à pénétrer.

S'il n'y a pas de compensation dans l'au-delà, alors le monde est une cruelle plaisanterie. Mais qu'est-il advenu de ce Leonardo ? »

---

12. **to crawl** [krɔːl], *ramper* (serpent).

13. « Holmes tendit son long bras », d'où, *de son long bras maigre.*

14. **to pat,** *tapoter, consoler d'une tape amicale* (sur l'épaule) ; **he patted me on the shoulder.**

15. construction **hereafter : after here, after this (world),** d'où, *dans l'au-delà* ; rappel **here** = **this** ; **herewith,** *ci-joint.*

16. ▲ **jest** [dʒest], *plaisanterie ;* **gesture** ['dʒestʃə], *geste.*

17. construction **what of this man ?** de même, **what about a drink ?** *que diriez-vous d'un verre ? aimeriez-vous boire quelque chose ?*

"I never saw him or heard from him again. Perhaps I have been wrong to feel so bitterly against him. He might as soon [1] have loved one of the freaks [2] whom we carried round the country [3] as the thing which the lion had left. But a woman's love is not so easily set aside [4]. He had left me under the beast's claws, he had deserted me in my need, and yet I could not bring myself to give him to the gallows [5]. For myself, I cared nothing what became of me. What could be more dreadful [6] than my actual life ? But I stood between Leonardo and his fate."

"And he is dead ?"

"He was drowned last month when bathing [7] near Margate. I saw his death in the paper."

"And what did he do with this five-clawed [8] club, which is the most singular and ingenious part of all your story ?"

"I cannot tell, Mr Holmes. There is a chalk-pit [9] by the camp, with a deep green pool [10] at the base of it. Perhaps in the depths of that pool —"

"Well, well, it is of little consequence now. The case is closed."

"Yes," said the woman, "the case is closed".

We had risen to go, but there was something in the woman's voice which arrested Holmes' attention. He turned swiftly [11] upon her.

"Your life is not your own," he said. "Keep your hands off it [12]."

"What use is it [13] to anyone ?"

---

1 . tournure **he might as soon have loved,** il aurait aussi bien pu aimer ; construction à rapprocher de **he had rather.**
2 . **A freak** (of nature), accident (de la nature), d'où, monstre, phénomène, anomalie, lubie, marginal ; adj. anormal, inattendu ; aussi **freakish** (weather, idea).
3 . « que nous transportions à travers le pays ».
4 . « n'est pas facilement mis de côté », d'où, étouffé.
5 . **gallows,** potence, d'où, échafaud pour le français, pluriel souvent employé comme singulier.
6 . rappel : **dreadful,** terrible, horrible.
7 . ⚠ prononciation **to bathe,** [beɪð] se baigner (mer, lac, soleil) et subst. ; **bathe** [beɪð] bain (idem), mais **bath** [ba:θ], bain (dans baignoire), baignoire, salle de bains.

222

« Je ne l'ai jamais revu et je n'ai plus entendu parler de lui. Peut-être ai-je eu tort d'avoir tant d'amertume à son égard. Il aurait aussi bien pu aimer l'un des monstres que présentait notre tournée, que la chose que le lion avait mutilée. Mais l'amour d'une femme ne s'éteint pas facilement. Il m'avait abandonnée aux griffes de l'animal, il ne m'avait pas secourue à l'heure du danger, et pourtant je ne pouvais me résoudre à le livrer à l'échafaud. Peu m'importait ce qu'il adviendrait de moi. En quoi ma vie pourrait-elle être pire ? Mais je me tenais entre Léonardo et son destin. »

« Et il est mort ? »

« Il s'est noyé le mois dernier au cours d'une baignade à Margate. J'ai lu sa mort dans le journal. »

« Et qu'a-t-il fait de cette massue à cinq griffes qui est l'élément le plus singulier et le plus ingénieux de tout votre récit ? »

« Je n'en sais rien, Monsieur Holmes. Il y a une carrière de craie près du campement, avec, en contrebas, un étang aux profondes eaux glauques. Peut-être que dans ses profondeurs... »

« Oui, oui, ça n'a plus grande importance maintenant. L'affaire est classée. »

« Oui, dit la femme, l'affaire est classée. »

Nous nous étions levés pour prendre congé, mais quelque chose dans la voix de la femme arrêta l'attention de Holmes. Il se retourna vivement vers elle.

« Votre vie ne vous appartient pas », dit-il. « N'y attentez pas ».

« A qui peut-elle bien être utile ? »

---

8 . ▲ prononciation : **claw** [klɔ:] *griffe* (adj. comp. chiffre + subst. + **ed.)**

9 . rappel : *carrière de craie ;* **chalk** [tʃɔːk], *craie ;* **pit**, *puits, fosse.*

10. « *un étang profond et vert* » d'où *eaux profondes, eaux vertes.*

11. **swift**, *rapide, vif, brusque.*

12. « *tenez vos mains éloignées d'elle* ».

13. ▲ **what use is it ?** *à quoi bon ?* **what is it used for ?** *à quoi cela sert-il ? que fait-on avec cela ?*

"How can you tell [1] ? The example of patient suffering is in itself the most precious of all lessons to an impatient world."

The woman's answer was a terrible one. She raised her veil and stepped forward into the light.

"I wonder if you would bear [2] it," she said.

It was horrible. No words can describe the framework [3] of a face when the face itself is gone. Two living and beautiful brown eyes looking sadly out from [4] that grisly [5] ruin did but make [6] the view more awful. Holmes held up his hand in a gesture of pity and protest, and together we left the room.

Two days later, when I called upon my friend [7], he pointed with some pride [8] to a small blue bottle upon his mantelpiece [9]. I picked it up. There was on it a red poison label. A pleasant almondy odour rose when I opened it.

"Prussic acid ?" said I.

"Exactly. It came by post."

"'I send you my temptation. I will follow your advice [10].' That was the message. I think, Watson, we can guess the name of the brave woman who sent it."

---

1. « comment peut-on le dire ? » **you** est ici impersonnel.
2. rappel : **to bear, I bore, borne,** porter, supporter, mais I was born, je suis né(e).
3. **frame,** cadre, tableau ; **framework,** cadre (sens abstrait) ; de même, **net,** filet, **network,** réseau (de distribution, radio).
4. prép. **out from** rendue par, du fond de.
5. **grisly,** macabre, sinistre, effrayant, effroyable.
6. forme emphatique avec auxiliaire **do,** renforcée par **but.**
7. rappel : **to call (up) on somebody,** rendre visite à quelqu'un.

« Qui peut le dire ? L'exemple de la patience dans la souffrance est en lui-même la plus précieuse des leçons pour un monde impatient. »

La réponse de la femme fut terrible. Elle souleva son voile et s'avança dans la lumière.

« Je me demande si vous pourriez soutenir ceci », dit-elle.

C'était affreux. Les mots sont impuissants à décrire l'ossature d'un visage quand ce visage lui-même a disparu. De beaux yeux marron au regard vif qui nous fixaient tristement du fond de ces restes macabres ne faisaient que rendre la vision plus effroyable. Holmes leva la main en un geste de pitié et de protestation, et nous sortîmes tous deux de la pièce.

Deux jours plus tard, quand je rendis visite à mon ami, il désigna du doigt, avec quelque fierté, une petite bouteille bleue sur le manteau de la cheminée. Je la pris. Elle portait l'étiquette rouge qui indique le poison. Une agréable odeur d'amande s'en échappa quand je l'ouvris.

« Acide prussique ? » demandai-je.

« Exactement. C'est arrivé par la poste. »

« Je vous envoie ma tentation. Je suivrai vos conseils. » Tel était le message. Je pense, Watson, que nous pouvons deviner le nom de la courageuse femme qui l'a envoyé. »

---

8 . **pride** [praid] *orgueil, fierté ;* adj. **proud** [praud], *orgueilleux ;* to take pride in something, *tirer fierté de, être fier de ;* to pride oneself on something, idem, **to be proud of something, somebody,** *être fier de quelque chose, de quelqu'un.*

9 . rappel : **mantelpiece,** *dessus, manteau de cheminée,* **chimney,** *cheminée* (sur le toit), **funnel,** (conduit de) *cheminée,* **fireplace,** *foyer, âtre, cheminée.*

10. **advice,** *conseil* (collectif singulier), d'où **a piece of advice,** *un conseil ;* de même, **information,** *renseignement,* **a piece of information,** *un renseignement.*

En lisant cette nouvelle, vous avez rencontré un certain nombre d'expressions et de constructions utiles de la langue courante. Vous en souvenez-vous ?

1. Je dispose d'une documentation considérable.
2. Les tentatives qui ont été faites récemment.
3. Faites-lui comprendre cela.
4. Je ne peux pas me permettre de refuser une pareille occasion.
5. Je n'ai pas de famille à moi.
6. Faire des difficultés, causer des ennuis.
7. J'aimerais bavarder avec...
8. C'est très facile à faire.
9. Un mot, un nom, une expression connu(e) de tous.
10. S'arrêter pour la nuit.
11. Témoigner.
12. Elle était en colère contre son mari.
13. Faire entrer dans une pièce
14. Comme on pouvait s'y attendre.
15. Je m'intéresse à votre affaire.
16. Pourquoi ne diriez-vous pas à la police tout ce que vous savez ?
17. Vous voyez à quoi il ressemble.
18. Il faisait nuit noire (un noir d'encre).
19. Il a perdu son sang-froid.
20. Une manifestation de sympathie.
21. A quoi cela sert-il ? (A quoi bon.)
22. Comment savoir ?
23. Je rendis visite à mon ami deux jours plus tard.
24. Je suivrai vos conseils.

1. I have a mass of material at my command.
2. The attempts which have been made lately.
3. Make her (him) understand that.
4. I can't afford to turn down a chance like that.

5. I have no family of my own.
6. To give trouble.
7. I'd like to have a chat with...
8. That's very easily done (easy to do).
9. A household word.

10. To halt for the night.
11. To give evidence.
12. She was angry with her husband.
13. To show into a room.
14. As might be expected.
15. I am interested in your case.
16. Why should you not (shouldn't you) tell the police anything you know ?
17. You see what he is like.
18. It was pitch-dark (it was a pitch-dark night).
19. He lost his nerve.
20. A show of sympathy.
21. What use is it ?
22. How can you tell ?
23. I called upon my friend two days later.
24. I'll follow your advice.

ENREGISTREMENT SONORE

• Vous trouverez dans les pages suivantes le texte des extraits enregistrés sur la cassette accompagnant ce volume.

• Chaque extrait est suivi d'un certain nombre de questions, destinées à tester votre compréhension.

• Les réponses à ces questions apparaissent en bas de page.

→ Vous tirerez le meilleur profit de cette dernière partie en utilisant la cassette de la façon suivante.

1) *Essayez de répondre* aux questions sans vous référer au texte écrit.

2) *Vérifiez votre compréhension* de l'extrait et des questions de la cassette à l'aide du livre.

3) *Refaites* l'exercice jusqu'à ce que vous ne soyez plus tributaire du texte écrit.

THE BOSCOMBE VALLEY MYSTERY

A. 'On June 3 — that is, on Monday last — McCarthy left his house at Hatherley about three in the afternoon, and walked down to the Boscombe Pool, which is a small lake formed by the spreading out of the stream which runs down the Boscombe Valley. He had been out with his serving-man in the morning at Ross, and he had told the man that he must hurry, as he had an appointment of importance to keep at three. From that appointment he never came back alive.

- **Questions**
1. *Was June 3 a Sunday ?*
2. *Can you spell the name MacCarthy ?*
3. *At what time did Mr MacCarthy leave his house ?*
4. *What is BOSCOMBE pool ?*
5. *Why was Mr MacCarthy in a hurry ?*

- **Corrigé**
1. No it was a Monday.
2. Yes capital M, a, c, capital C, a, r, t, h, y.
3. He left his house at about 3 in the afternoon.
4. It is a small lake.
5. Because he had an important appointment to keep at three.

B. I walked down to the station with them, and then wandered through the streets of the little town, finally returning to the hotel, where I lay upon the sofa and tried to interest myself in a yellow-backed novel. The puny plot of the story was so thin, however, when compared to the deep mystery through which we were groping, and I found my attention wander so constantly from the fiction to the fact, that I at last flung it across the room, and gave myself up entirely to a consideration of the events of the day.

- **Questions**
1. Did Watson drive to the station ?
2. What did he do after returning to the hotel ?
3. Why was'nt he interested in the novel ?
4. What did he finally do with the book ?
5. What was the colour of the cover of the book ?

- **Corrigé**
1. No, he walked there (to it).
2. He lay upon a sofa and tried to read a book.
3. Because the plot was too thin.
4. He flung it across the room.
5. It was yellow. It was a yellow-backed novel.

C. I rang the bell, and called for the weekly county paper, which contained a verbatim account of the inquest. In the surgeon's deposition it was stated that the posterior third of the left parietal bone and the left half of the occipital bone had been shattered by a heavy blow from a blunt weapon. I marked the spot upon my own head. Clearly such a blow must have been struck from behind. That was to some extent in favour of the accused, as when seen quarrelling he was face to face with his father. Still, it did not go for very much, for the older man might have turned his back before the blow fell. Still, it might be worth while to call Holmes's attention to it.

• **Questions**
1. Why did Watson ring the bell ?
2. Is a verbatim account a precise or a vague account ?
3. What sort of weapon had the blow been given with ?
4. Where was the murderer probably standing ?
5. What makes you think so ?
6. How where the men standing during the quarrel ?

• **Corrigé**
1. He rang to call for the weekly paper.
2. It is a precise, word for word account.
3. It had been given with a blunt weapon.
4. The murderer was probably standing behind his victim.
5. The fact that the blow had been struck from behind.
6. They were standing face to face.

_____

D. It was a widespread, comfortable-looking building, two-storied, slate-roofed, with great yellow blotches of lichen upon the grey walls. The drawn blinds and the smokeless chimneys, however, gave it a stricken look, as though the weight of this horror still lay heavy upon it. We called at the door, when the maid, at Holmes's request, showed us the boots which her master wore at the time of his death, and also a pair of the son's, though not the pair which he had then had. Having measured these very carefully from seven or eight different points, Holmes desired to be led to the courtyard, from which we all followed the winding track which led to Boscombe Pool.

- **Questions**

1. *Was the building a high one ?*
2. *What sort of a roof did it have ?*
3. *Why had the building a 'stricken look' ?*
   (why did the building have a stricken look ?)
4. *Whose boots did Holmes measure ?*
5. *Were they the boots the son was wearing on the day of the crime ?*

- **Corrigé**

1. No, it was only two-storied.
2. A slate-roof.
3. Because of the drawn blinds and smokeless chimneys.
4. He measured the son's boots.
5. No, they were a different pair.

E. It was about ten minutes before we regained our cab, and drove back into Ross, Holmes still carrying with him the stone which he had picked up in the wood.

'This may interest you, Lestrade,' he remarked, holding it out. 'The murder was done with it.'

'I see no marks.'

'There are none.'

'How do you know, then ?'

'The grass was growing under it. It had only lain there a few days. There was no sign of a place whence it had been taken. It corresponds with the injuries. There is no sign of any other weapon.'

'And the murderer ?'

'Is a tall man, left-handed, limps with the right leg, wears thick-soled shooting-boots and a grey cloak, smokes Indian cigars, uses a cigar-holder, and carries a blunt penknife in his pocket. There are several other indications, but these may be enough to aid us in our search.'

Lestrade laughed. 'I am afraid that I am still a sceptic,' he said. 'Theories are all very well, but we have to deal with a hard-headed British jury.'

'*Nous verrons*', answered Holmes calmly. 'You work your own method, and I shall work mine. I shall be busy this afternoon, and shall probably return to London by the evening train.'

'And leave your case unfinished ?'

'No, finished.'

'But the mystery ?'

'It is solved.'

'Who was the criminal, then ?'

'The gentleman I describe.'

'But who is he ?'

'Surely it would not be difficult to find out. This is not such a populous neighbourhood.'

Lestrade shrugged his shoulders. 'I am a practical man,' he said, 'and I really cannot undertake to go about the country looking for a left-handed gentleman with a game leg. I should become the laughing-stock of Scotland Yard.'

'All right', said Holmes quietly. 'I have given you the chance. Here are your lodgings. Goodbye. I shall drop you a line before I leave.'

• Questions

1. Why did Holmes carry the stone with him ?
2. What do we learn about the murderer's physical appearance ?
3. Is Lestrade convinced ?
4. Where does Holmes believe the criminal lives ?
5. Why doesn't Lestrade want to go about the country looking for a left-handed gentleman with a " game leg " ?

• Corrigé

1. Because he thought the murder had been done with it.
2. He is a tall man, left-handed, and limps with the right leg.
3. No, he is still a sceptic ; he thinks this will not convince a jury.
4. He believes the criminal lives in the neighbourhood.
5. He fears he would become the laughing-stock of Scotland Yard.

———————————

F. 'I would have spoken now had it not been for my dear girl. It would break her heart — it will break her heart when she hears that I am arrested.'

'It may not come to that,' said Holmes.

'What !'

'I am no official agent. I understand that it was your daughter who required my presence here, and I am acting in her interests. Young McCarthy must be got off, however.'

'I am a dying man,' said old Turner. 'I have had diabetes for years. My doctor says it is a question whether I shall live a month. Yet I would rather die under my own roof than in a gaol.'

Holmes rose and sat down at the table with his pen in his hand and a bundle of paper before him. 'Just tell us the truth,' he said. 'I shall jot down the facts. You will sign it, and Watson here can witness it. Then I could produce your confession at the last extremity to save young McCarthy. I promise you that I shall not use it unless it is absolutely needed.'

'It's as well,' said the old man ; 'it's a question whether I shall live to the Assizes, so it matters little to me, but I should wish to spare Alice the shock. And now I will make the thing clear to you ; it has been a long time in the acting, but will not take me long to tell.

- **Questions**
1. *What is old Turner's daughter's name ?*
2. *Why didn't he confess earlier ?*
3. *What does Holmes mean when he says " I'm no official agent " ?*
4. *Can you give two different spelling for the word jail ?*
5. *Name the illness old Turner is suffering from.*
6. *Can you give a synonym for to jot down ?*
7. *Who is young Mac Carthy ?*
8. *Why must he be got off ?*
9. *Two sentences show that Holmes does not intend to denounce the old man.*
10. *Traduisez : je vous promets que je ne l'utiliserai pas sauf si c'est absolument nécessaire.*

- **Corrigé**
1. Alice.
2. Because he didn't want to break his daughter's heart.
3. He means that he doesn't belong to the police.
4. Yes — djei ei ai el, or dji, ei, ou el (jail or gaol).
5. Diabetes.
6. To note down, to write down.
7. He is the murderer man's son.
8. Because he is accused of the crime ; he is the official culprit.
9. It may not come to that, and then : I shall not use it (Turner's confession) unless it is absolutely needed.
10. I promise you that I shall not use it unless it is absolutely needed.

A. 'My name,' said he, 'is John Openshaw, but my own affairs have, so far as I can understand it, little to do with this awful business. It is a hereditary matter, so in order to give you an idea of the facts, I must go back to the commencement of the affair.

'You must know that my grandfather had two sons — my uncle Elias and my father Joseph. My father had a small factory at Coventry, which he enlarged at the time of the invention of bicycling. He was the patentee of the Openshaw unbreakable tire, and his business met with such success that he was able to sell it, and to retire upon a handsome competence.

'My uncle Elias emigrated to America when he was a young man, and became a planter in Florida, where he was reported to have done very well. At he time of the war he fought in Jackson's army, and afterwards under Hood, where he rose to be a colonel. When Lee laid down his arms my uncle returned to his plantation, where he remained for three or four years. About 1869 or 1870 he came back to Europe, and took a small estate in Sussex, near Horsham.'

- **Questions**

1. How many sons did John Openshaw's grandfather have ?
   How many sons had John Openshaw grandfather ?
2. Where was Joseph's factory located ?
3. What had Joseph invented ?
4. Was the business successful ?
5. When and where did Elias emigrate ?
6. What occupation did he take up ?
7. What is the war referred to ?
8. What rank did he reach in the army ?
9. How long did he remain on his plantation after the war ?
10. When did he came back to Europe ?

- **Corrigé**

1. He had two sons. John's uncle Elias and John's father Joseph.
2. It was located in Coventry.
3. He had invented an unbreakable tyre, for which he had taken out a patent.
4. Yes — so much so that he was able to sell it and retire with a handsome sum of money.
5. He emigrated to America when he was a young man.
6. He became a planter in Florida.
7. The Civil war (1860-1865).
8. He became a colonel (or he rose to be a colonel).
9. Three or four years.
10. He came back to Europe in 1869 or 1870.

B. 'One moment,' Holmes interposed. 'Your statement is, I foresee, one of the most remarkable to which I have ever listened. Let me have the date of the reception by your uncle of the letter, and the date of his supposed suicide.'

'The letter arrived on March the 10th, 1883. His death was seven weeks later, upon the night of the 2nd of May.'

'Thank you. Pray proceed.'

'When my father took over the Horsham property, he, at my request, made a careful examination of the attic, which had been always locked up. We found the brass box there, although its contents had been destroyed. On the inside of the cover was a paper label, with the initials K. K. K. repeated upon it, and "Letters, memoranda, receipts and a register" written beneath. These, we presume, indicated the nature of the papers which had been destroyed by Colonel Openshaw.

- **Questions**
1. *When did the letter arrive ?*
2. *When did the supposed suicide occur ?*
3. *What did the man's father find in the attic ?*
4. *What did it contain ?*
5. *Can you tell what sort of papers had probably been in the box ?*
6. *How do you know ?*

- **Corrigé**
1. It arrived on March the 10th 1883.
2. It occurred 7 weeks later, on the 2nd of May, during the night.
3. He found a brass box there.
4. Nothing. Its contents had been destroyed.
5. Yes — it had contained "letters, memoranda, receipts and a register".
6. Because there was a label inside the box (on the inside of the cover) listing its contents.

C. 'For the rest, there was nothing of much importance in the attic, save a great many scattered papers and notebooks bearing upon my uncle's life in America. Some of them were of the war time, and showed that he had done his duty well, and had borne the repute of being a brave soldier. Others were of a date during the reconstruction of the Southern States, and were mostly concerned with politics, for he had evidently taken a strong part in opposing the carpet-bag politicians who had been sent down from the North.

'Well, it was the beginning of '84, when my father came to live at Horsham, and all went as well as possible with us until the January of '85. On the fourth day after the New Year I heard my father give a sharp cry of surprise as we sat together at the breakfast-table. There he was, sitting with a newly opened envelope in one hand and five dried orange pips in the out-stretched palm of the other one. He had always laughed at what he called my cock-and-bull story about the Colonel, but he looked very puzzled and scared now that the same thing had come upon himself.'

- **Questions**

1. Where did carpet-bag politicians come from ?
2. When did they come to the Southern States ?
3. How did the five orange pips reach the man's father ?
4. Was it taken as a joke ?
5. At what date did the incident occur ?

- **Corrigé**

1. From the North.
2. After the Civil War.
3. In an envelope, which means they were sent by post.
4. No, the man's father looked very puzzled and scared.
5. On the 4th of January 1885.

_____

D. 'Have you never—' said Sherlock Holmes, bending forward and sinking his voice — 'have you never heard of the Ku Klux Klan ?'

'I never have.'

Holmes turned over the leaves of the book upon his knee. 'Here it is,' said he presently,' "Ku Klux Klan". A name derived from a fanciful resemblance to the sound produced by cocking a rifle. This terrible secret society was formed by some ex-Confederate soldiers in the Southern States after the Civil War, and it rapidly formed local branches in different parts of the country, notably in Tennessee, Louisiana, the Carolinas, Georgia, and Florida. Its power was used for political purposes, principally for the terrorizing of the negro voters, and the murdering or driving from the country of those who were opposed to its views. Its outrages were usually preceded by a warning sent to the marked man in some fantastic but generally recognized shape — a sprig of oak leaves in some parts, melon seeds or orange pips in others. On receiving this the victim might either openly abjure his former ways, or might fly from the country. If he braved the matter out, death would unfailingly come upon him, and usually in some strange and unforeseen manner. So perfect was the organization of the society, and so systematic its methods, that there is hardly a case upon record where any man succeeded in braving it with impunity, or in which any of its outrages were traced home to the perpetrators. For some years the organization flourished, in spite of the efforts of the United States Government, and of the better classes of the community in the South. Eventually, in the year 1869, the movement rather suddenly collapsed, although there have been sporadic outbreaks of the same sort since that date.'

- **Questions**

1. According to Holmes, what sound does this name Ku Klux Klan imitate ?
2. When was the secret society formed ?
3. Who by ?
4. Can you mention at least two states where it had branches ?
5. What was its main purposes ?
6. Was it easy to arrest members of the society who had committed murders ?
7. When did the movement collapse ?
8. What sort of a warning did the victims receive before they were murdered ?
9. Was it easy to brave the society ?
10. Did it all stop after 1869 ?

- **Corrigé**

1. It is supposed to imitate the sound produced by cocking a rifle.
2. It was formed after the Civil War.
3. By ex-confederate soldiers, that is soldiers from the Southern States.
4. It rapidly formed local branches in Tennessee, Louisiana, the Carolinas, Georgia and Florida.
5. Terrorizing the negro voters, and murdering or driving from the country those who were opposed to its views.
6. No, because the organization of the society was perfect.
7. The movement collapsed in 1869.
8. A sprig of oak leaves, melon seeds or orange pips.
9. No, that would mean almost automatic death (death would unfallingly come upon those who braved it).
10. No, there were sporadic outbreaks after that date.

E. 'As I waited, I lifted the unopened newspaper from the table and glanced my eye over it. It rested upon a heading which sent a chill to my heart.'

'Holmes,' I cried, 'you are too late.'

'Ah !' said he, laying down his cup, 'I feared as much. How was it done ?' He spoke calmly, but I could see that he was deeply moved.

'My eye caught the name of Openshaw, and the heading "Tragedy near Waterloo Bridge". Here is the account : "Between nine and ten last night Police Constable Cook, of the H Division, on duty near Waterloo Bridge, heard a cry for help and a splash in the water. The night, however, was extremely dark and stormy, so that, in spite of the help of several passers-by, it was quite impossible to effect a rescue. The alarm, however, was given, and, by the aid of the water police, the body was eventually recovered. It proved to be that of a young gentleman whose name, as it appears from an envelope which was found in his pocket, was John Openshaw, and whose residence is near Horsham. It is conjectured that he may have been hurrying down to catch the last train from Waterloo Station, and that in his haste and the extreme darkness, he missed his path and walked over the edge of one of the small landing-places for river steamboats. The body exhibited no traces of violence, and there can be no doubt that the deceased had been the victim of an unfortunate accident, which should have the effect of calling the attention of the authorities to the condition of the riverside landing-stages." '

We sat in silence for some minutes, Holmes more depressed and shaken than I had ever seen him.

'That hurts my pride, Watson,' he said at last. 'It is a petty feeling, no doubt, but it hurts my pride. It becomes a personal matter with me now, and, if God sends me health, I shall set my hand upon this gang. That he should come to me for help, and that I should send him away to his death— !' He sprang from his chair, and paced about the room in uncontrollable agitation, with a flush upon his sallow cheeks, and a nervous clasping and unclasping of his long, thin hands.

- **Questions**
1. *Do you remember what the heading was ?*
2. *Why was it impossible to effect a rescue ?*
3. *Who recovered the body ?*
4. *What is the offficial explanations for the accident ?*
5. *Is this Holmes's opinion ?*
6. *Why is Holmes depressed and shaken ?*
7. *How did the police get the dead man's name ?*
8. *Do you remember which Division Police constable Cook belonged to ?*
9. *What did the policeman hear as he was on duty ?*
10. *Was Constable Cook alone when he tried to effect a rescue ?*

- **Corrigé**
1. Yes, it was "Tragedy near Waterloo Bridge".
2. Because the night was extremely dark and stormy.
3. The water police did.
4. The young man is supposed to have missed his path because of this haste and the extreme darkness ; there can be no doubt that it is an unfortunate accident.
5. No he thinks the deceased has been the victim of a gang.
6. Because the victim had come to him for help.
7. From an envelope found in his pocket.
8. He belonged to the H Division.
9. A cry for help and a splash in the water.
10. No, he was helped by several passers-by.

THE VEILED LODGER

A. When one considers that Mr Sherlock Holmes was in active practice for twenty-three years, and that during seventeen of these I was allowed to co-operate with him and to keep notes of his doings, it will be clear that *I have a mass of material at my command*. The problem has always been, not to find, but to choose. There is the long row of year-books which fill a shelf, and there are the dispatch-cases filled with documents, a perfect quarry for the student not only of crime, but of the social and official scandals of the late Victorian era. Concerning these latter, I may say that the writers of agonized letters, who beg that the honour of their families or the reputation of famous forbears may not be touched, have nothing to fear. The discretion and high sense of professional honour which have always distinguished my friend are still at work in the choice of these memoirs, and no confidence will be abused. I deprecate, however, in the strongest way the *attempts which have been made lately to get at and to destroy these papers.* The source of these outrages is known, and if they are repeated I have Mr Holmes's authority for saying that the whole story concerning the politician, the lighthouse and the trained cormorant will be given to the public. There is at least one reader who will understand.

• Questions

1. How long was Sherlock Holmes in active practice ?

2. Why can't certain documents be published ?

3. Can you find a synonym for "forbears" ?

4. Who is the author of these memoirs ?

5. Is it difficult for him to find material about Holmes's investigations ?

6. According to Watson, what attempt have been recently made ?

7. What was the purpose of those attempts ?

8. What do you call the period in English history during which Holmes operated ?

9. Who is the reader who according to Watson, will understand ?

10. What does Watson threaten him with ?

• Corrigé

1. He was in active practice for 23 years.

2. Because they could harm the reputation and honour of some families.

3. Ancestors.

4. Doctor Watson, who co-operated with Sherlock Holmes for 17 years.

5. No, the problem is not to find, but to choose from the mass of material.

6. Attemps to get at and destroy the papers.

7. To prevent publication of such documents.

8. The Victorian era, from the name of Queen Victoria.

9. The man who tried to destroy the papers.

10. The publication of the very papers involving himself or his family, that the man has tried to steal and destroy.

B. One forenoon — it was late in 1896 — I received a hurried note from Holmes asking for my attendance. When I arrived, I found him seated in a smoke-laden atmosphere, with an elderly, motherly woman of the buxom landlady type in the corresponding chair in front of him.

'This is Mrs Merrilow, of South Brixton,' said my friend, with a wave of the hand. 'Mrs Merrilow does not object to tobacco, Watson, if you wish to indulge your filthy habits. Mrs Merrilow has an interesting story to tell which may well lead to further developments in which your presence may be useful.'

'Anything I can do —'

'You will understand, Mrs Merrilow, that if I come to Mrs Ronder I should prefer to have a witness. You will *make her understand that* before we arrive.'

'Lord bless you, Mr Holmes,' said our visitor, 'she is that anxious to see you that you might bring the whole parish at your heels !'

'Then we shall come early in the afternoon. Let us see that we have our facts correct before we start. If we go over them it will help Dr Watson to understand the situation. You say that Mrs Ronder has been your lodger for seven years and that you have only once seen her face.'

'And I wish to God I had not !' said Mrs Merrilow.

'It was, I understand, terribly mutilated.'

'Well, Mr Holmes, you would hardly say it was a face at all. That's how it looked. Our milkman got a glimpse of her once peeping out of the upper window, and he dropped his tin and the milk all over the front garden. That is the kind of face it is. When I saw her — I happened on her unawares — she covered up quick, and then she said, 'Now, Mrs Merrilow, you know at last why it is that I never raise my veil.''

• Questions

*1. What does the expression "it was late in 1856"
mean ?*

*2. How many times in seven years did the landlady
see the lodger's face ?*

*3. Was she the only person to see Mrs Ronder's
face ?*

4. Why did Mrs Ronder never raise her weil ?

*5. How long has Mrs Ronder been Mrs Merrilow's
lodger ?*

*6. Explain these words : "you might bring the whole
parish at your heels".*

7. When does Holmes plan to visit Mrs Ronder ?

8. Is he going to go alone ?

9. Why ?

*10. Do you remember the expression used by Holmes
meaning : let's be sure that we know the facts.*

• Corrigé

1. That is was toward the end of the year.
2. She saw it only once.
3. No, the milkman also got a glimpse of her face.
4. Because her face was terribly mutilated.
5. She has been her lodger for 7 years.
6. It means you can come with as many people as
you wish to.
7. Early in the afternoon.
8. No, he will take Doctor Watson with him.
9. Because he'd prefer to have a witness.
10. He says, let us see that we have our facts correct.

C. 'Do you know anything about her history ?'

'Nothing at all.'

'Did she give references when she came ?'

'No, sir, but she gave hard cash, and plenty of it. A quarter's rent right down on the table in advance and no arguing about terms. In these times a poor woman like me *can't afford to turn down a chance like that.*'

'Did she give any reason for choosing your house ?'

'Mine stands well back from the road and is more private than most. Then again, I only take the one, and *I have no family of my own.* I reckon she had tried others and found that mine suited her best. It's privacy she is after, and she is ready to pay for it.'

'You say that she never showed her face from first to last save on the one accidental occasion. Well, it is a very remarkable story, most remarkable, and I don't wonder that you want it examined.'

'I don't, Mr Holmes, I am quite satisfied so long as I get my rent. You could not have a quieter lodger, or one who *gives less trouble.*'

'Then what has brought matters to a head ?'

'Her health, Mr Holmes. She seems to be wasting away. And there's something terrible on her mind. "Murder !" she cries. "Murder !" And once I heard her, "You cruel beast ! You monster !" she cried. It was in the night, and it fair rang through the house and sent the shivers through me. So I went to her in the morning. "Mrs Ronder," I say, "if you have anything that is troubling your soul, there's the clergy," I say, "and there's the police. Between them you should get some help." "For God's sake, not the police !" says she, "and the clergy can't change what is past. And yet," she says, "it would ease my mind if someone knew the truth before I died."

• Questions

1. *Is the landlady complaining about her lodger ?*
2. *How long is a quarter ?*
3. *Why did the lodger choose that particular house ?*
4. *Did the landlady ask for references from her new lodger ?*
5. *What does "no agreeing about the terms" mean ?*
6. *Are there any other lodgers in the same house ?*
7. *Could you explain the phrase "it sent the shivers through me" ?*
8. *What is wrong with Mrs Ronder ?*
9. *What makes your think so ?*
10. *What does the landlady advise her to do ?*

Corrigé

1. No, she says "you would not have a quieter lodger, or one who gives less trouble".
2. A quarter is three months.
3. Because it stands back from the road and is more private than most.
4. No, she was satisfied whith the hard cash.
5. That the lodger did no discuss the price and conditions.
6. No, Mrs Ronder is the only one.
7. It means it frightened me ; to shiver is to tremble.
8. She must have a terrible secret on her mind.
9. According to the landlady, she heard her cry "murder" and "you monster" at night. Mrs Ronder is also supposed to have said, "it would ease my mind, if someone knew the truth before I died".
10. To go to the police, or get some help from the clergy or from both.

D. 'I was a poor circus girl brought up on the sawdust, and doing springs through the hoop before I was ten. When I became a woman this man loved me, if such lust as his can be called love, and in an evil moment I became his wife. From that day I was in hell, and he the devil who tormented me. There was no one in the show who did not know of this treatment. He deserted me for others. He tied me down and lashed me with his riding-whip when I complained. They all pitied me and they all loathed him, but what could they do ? They feared him, one and all. For he was terrible at all times, and murderous when he was drunk. Again and again he was had for assault, and for cruelty to the beasts, but he had plenty of money and the fines were nothing to him. The best men all left us and the show began to go downhill. It was only Leonardo and I who kept it up — with little Jimmy Griggs, the clown. Poor devil, he had not much to be funny about, but he did what he could to hold things together.

'Then Leonardo came more and more into my life. *You see what he was like.* I know now the poor spirit that was hidden in that splendid body, but compared to my husband he seemed like the Angel Gabriel. He pitied me and helped me, till at last our intimacy turned to love — deep, deep, passionate love, *such love as I had dreamed of but never hoped to feel.*'

- **Questions**

1. *Where was the narrator brought up ?*
2. *Who did she marry ?*
3. *Was she in love with him ?*
4. *How did he treat her ?*
5. *Explain the sentence : "Again and again, he was had for assault and for cruelty to the beasts ?"*
6. *Explain the expression, "the show began to go downhill".*
7. *Who did the narrator fall in love with ?*
8. *Is she still in love with him ?*
9. *Why does she say "you see what he was like".*
10. *How did the other people in the circus feel about her husband ?*

- **Corrigé**

1. She was brought up in a circus. To quote her own words, she was doing springs through the hoop before she was ten.
2. The owner of the circus.
3. Apparently not. Or if so it did not last long — She says : "in an evil moment, I became his wife. From that day I was in hell".
4. He deserted her for others and beat her when she complained.
5. It means he had problems whith the police, because of his violence and cruelty.
6. The show was no longer successful it got worse and worse, and was only held together by three people.
7. A certain Leonardo, a professional acrobat working with the circus.
8. It does not seem so. She says, "I know now the poor spirit that was hidden in that splendid body".
9. Because she had brought a photography of him.
10. They all loathed him, but they also feared him.

INDEX : Le vocabulaire de l'enquête...

Partez à la recherche de la signification en français de ces 500 mots tirés de l'univers de l'investigation de Sherlock Holmes.
Reportez-vous aux pages indiquées à la suite de chaque mot, et vérifiez vos connaissances dans le contexte de chaque nouvelle.

Photocomposition Nord Compo Villeneuve-d'Ascq

IMPRIMÉ EN FRANCE PAR BRODARD ET TAUPIN
Usine de La Flèche (Sarthe), le 5-11-1987.
6885-5 - Nº d'Éditeur 2132, décembre 1984.

PRESSES POCKET - 8, rue Garancière - 75006 Paris
Tél. 46.34.12.80